SYLVIE
ET L'ENFANT PERDU

SYLVIE
ET L'ENFANT PERDU

PAR

RENÉ PHILIPPE

collection marabout

Du même auteur dans la même collection :

SYLVIE, HÔTESSE DE L'AIR, Mademoiselle nᵒ 5.

SYLVIE A DISPARU, Mademoiselle nᵒ 10.

SYLVIE S'EN MÊLE, Mademoiselle nᵒ 16.

SYLVIE FAIT DU CINÉMA, Mademoiselle nᵒ 20.

SYLVIE SE MARIE, Mademoiselle nᵒ 25.

SYLVIE A HONG-KONG, Mademoiselle nᵒ 29.

SYLVIE ET LES ESPAGNOLS, Mademoiselle nᵒ 33.

 La Collection Marabout est
éditée et imprimée par

G E R A R D   &   Cᵒ

65, rue de Limbourg, 65,

VERVIERS — (Belgique).

Les mots Collection Marabout, l'emblème et la présentation des
volumes de la collection sont déposés conformément à la loi.
Correspondant général à **Paris** : L'INTER, 228-230, Boulevard Raspail. — Gérant exclusif et Distributeur général
pour les **Amériques** : D. KASAN, 226, EST, Christophe
Colomb, Québec-P.-Q. Canada. — Distribution en **Suisse** :
Editions SPES, Riponne, 4, Lausanne.

CHAPITRE PREMIER

Un crachin gras, tenace, poisseux, qui tombait depuis le matin. Une épaisse poussière d'eau qui vous mouillait jusqu'à l'os, qui s'insinuait sous les vêtements, qu'on ne pouvait s'empêcher — même — de respirer ! Il ne pleut comme ça qu'au cinéma, ou dans les romans de Simenon. C'était bien, d'ailleurs, un décor de roman policier. La nuit était venue, à présent, et on n'y voyait pas à dix mètres. Les rues étaient presque désertes. De loin en loin, les lampes électriques pendaient leur cône de lumière crue, que le vent secouait tout à coup brutalement. Alors la pluie giflait Sylvie au visage et elle clignait des yeux. Un fichu temps de cochon, oui ! Elle ne détestait pas, d'habitude, cette impression de solitude désolée, cette petite angoisse qui lui venait à parcourir une ville qu'on eût dit abandonnée. Mais elle était, ce soir, inquiète pour Philippe, qui venait de s'envoler vers les U. S. A., pour une brève visite aux usines aéronautiques de Détroit. Huit jours sans lui ! C'est long, huit jours...

Le terrain était littéralement noyé dans la brume :
c'est à peine si on distinguait, vaguement, les lueurs
mauves des balises. Tous les avions des lignes régu-
lières attendaient pour décoller que le ciel consentît
à redevenir habitable. Dans le bar, les pilotes bâil-
laient devant un verre de bière et les hôtesses s'effor-
çaient de calmer l'anxiété des passagers.

— Tu ferais mieux d'attendre aussi, Phil !

Mais il riait et haussait les épaules :

— Penses-tu ! j'en ai vu d'autres pendant la guerre !

— C'est pas une raison...

— Mais si ! tout seul en l'air, je ne risque pas de
collision, au moins !... Ensuite, tu sais fort bien que
le coucou vole haut et se moque des montagnes...

Un bombardier Boeing ultra-moderne, le coucou...
Gambier tremblait de joie à l'idée de le piloter :

— Regarde bébé, s'il est beau ! Avoue que ça me
change heureusement de ces chers vieux Douglas !

— Ouais... ça te change, justement. Tu n'as plus
tellement l'habitude de ces machines-là !

Méfiante, elle regardait le tableau de bord : ces
leviers, ces manettes, tous ces innombrables cadrans
compliqués. L'avion était venu faire une démonstra-
tion pour le compte de l'armée et devait retourner
aux U. S. A. L'armée n'avait qu'à le ramener elle-
même !

De nouveau, Gambier haussait les épaules :

— Puisque je te dis que ça ne s'arrangeait pas !
Le coucou doit rentrer dare-dare... Comme je dois
aller là-bas, quoi de plus normal que je le recon-
duise ? C'est faire d'une pierre deux coups, quoi !

Sylvie n'était qu'à demi convaincue. L'entreprise,
évidemment, n'avait rien d'extraordinaire. Et elle
n'allait tout de même pas, elle, ancienne hôtesse de

l'air et femme de pilote, troubler le moral de
Gambier !

Elle chassa son inquiétude, prit le parti de rire :

— O. K., commandant ! mais sois prudent, hein !
pense que tu as charge de famille...

— Heu... de famille ?

— Oui : moi, Alphonse... et Jules ! Je n'ai aucune
envie d'être veuve...

— C'est gentil, ça !

— Non, c'est intéressé : le noir ne me va pas !
Salut, Phil de mon cœur...

Elle se pencha, l'embrassa très fort. Elle était quand
même un peu pâle.

— Salut, bébé joli ! Sage, hein ?

Dans le même temps, il lançait les moteurs et cela
déchaînait un vacarme épouvantable.

— Compliments à Bipbip ! cria Sylvie.

— A qui ?

— A Bipbip... le bébé-lune, le satellite !

— Ah ! également de sa part ! Sauve-toi, amour ; à
bientôt

Elle lui jeta un dernier regard. Il lui envoya, de la
main, un baiser sonore et ajusta son écouteur radio.

« Chéri, pensa Sylvie, ô mon chéri, reviens vite !... »
Elle sentit qu'elle allait pleurer, se détourna et sauta
sur le sol.

L'avion, déjà, roulait sur la piste. Ses feux de
position fondaient dans le brouillard. Puis, invisible,
il passa au-dessus de la plaine dans les hurlements
de ses moteurs déchaînés.

— Bonne chance, mon chéri...

Sylvie frissonna. « Zut ! grogna-t-elle, si je me
laisse aller, je vais attraper un coup de cafard et ça

n'arrangera pas les choses ! Mais quel temps, quand
même... Ah ! dire qu'il faisait si beau en Espagne... (1) Au coin de la rue d'Arcueil, la librairie
Monnier — Dieu sait pourquoi — était encore
éclairée. Sylvie en profita pour consulter sa montre-
bracelet. Minuit moins dix... Du coup, elle se sentit
fatiguée ! Les rails des tramways luisaient doucement
sous la pluie. Au carrefour, une grosse voiture amé-
ricaine hésita longtemps, joua des phares avant de
repartir prudemment. Sylvie traversa le parc. Elle
marchait sur un tapis de feuilles mortes, élastique
et spongieux. Quelque part, au loin, un chien aboya.
« Bigre ! pensa Sylvie, c'est plutôt sinistre... J'aurais
mieux fait de prendre la voiture... » Elle pressa le
pas, impatiente de retrouver la rassurante perspective
du boulevard.

— Alphonse... ! tu n'es pas encore couché ?

Sylvie, la porte ouverte, découvrait dans le hall
l'immense silhouette d'Alphonse. Elle en fut récon-
fortée.

Alphonse souriait de ses dents blanches.

— Non, maâme ! moi attendre toi... moi savoir
toi triste quitter commandant... moi avoir préparé
bon café !

Sylvie, émue, sourit à son tour :

— Alphonse ! tu es une mère pour moi...

Elle entrait dans le living ; voyait, dans l'âtre,
pétiller joyeusement le feu de bûches. Elle s'assit
dans le divan, soupira, s'étira, alluma une cigarette.
« Oui, pensa-t-elle, une mère... ce grand diable...
Je me souviens de mon effroi, le jour où je fis la con-

_____

(1) Voir « Sylvie et les Espagnols », (Mademoiselle n° 33).

naissance de ce brave Bamboula ! (1) Il me semblait que jamais je ne pourrais m'habituer à lui, et voici que je lui suis attachée pour tout de bon... »

Les flammes dansaient, devant elle, un étrange ballet rapide, insaisissable, coloré. Elle regardait danser les flammes. La chaleur peu à peu l'engourdissait. Autour d'elle étaient les choses familières, complices, rassurantes. Ah ! la vie est belle à vivre, la vie est bonne... Sylvie, de plaisir, poussa un petit grognement et se recroquevilla sur les coussins. Posé sur sa petite table, Jules, dans son bocal, paraissait dormir. A quoi rêvent les poissons ? Mystère ! Ils tournent en rond, happent les miettes de pain, font des bulles. Une vie toute simple, quoi ! A quoi rêves-tu, Jules ? A des rivières vives et fraîches, à des cailloux multicolores que le soleil tiédit et où il ferait bon folâtrer ? Erreur, Jules ! Ça, c'est l'histoire de la chèvre de M. Seguin... Tu aurais froid, Jules, tu aurais faim, et le vilain brochet te mangerait ! Tandis qu'ici tu es heureux, à l'abri de tout, douillettement bercé par la quotidienne tendresse des jours et des nuits... Comme moi ! Mon bonheur, mon beau bonheur tout rond, tout chaud : Philippe ; cette maison qui est la nôtre ; nos souvenirs ; notre avenir lourd de promesses... On finit par ne plus croire au malheur. Tout à l'heure je marchais dans les rues de la ville. Aux fenêtres des maisons les rideaux étaient tirés. J'imaginais les gens. Il y en a qui dorment au creux de leur lit. Il y en a qui lisent, penchés sous la lampe. Il y en a qui échangent des mots simples, qui prononcent des phrases banales. Beaucoup d'hommes, beaucoup de femmes, chargés de leurs petites joies, de leurs petites misères — mais nichés dans la vie. Et les enfants ont sur les lèvres un sourire

---

(1) Voir « Sylvie se marie ». (Mademoiselle n° 25).

d'ange... Qu'importe la pluie ? Le soleil reviendra.
Oui, on finit par ne plus croire au malheur... Tout est
doux, tendre, protecteur. Et Philippe se promène dans
le ciel, avec le ronron fidèle de son moteur. Les étoiles
lui font des sourires. Peut-être qu'il pense à moi ? Et
si le moteur, brusquement, s'arrêtait ? Le malheur...
C'est ça, le malheur !

Elle imagine cette chose : l'avion désemparé, l'irré-
sistible chute ; au sol, dans la nuit, l'écrasement...

Mais elle n'avait pas peur. Elle n'y croyait pas !
Non, pas ce soir... Ce soir le monde est heureux. On
sent en soi la grande paix du monde. On entend le
léger crépitement des bûches dans l'âtre ; on entend,
dans le jardin, le vent qui joue avec les branches des
arbres ; on entend battre, doucement, sereinement,
le cœur du monde... Ce soir, il n'est pas possible de
croire au malheur...

Sylvie tressaillit :

— Ah ! c'est toi, Alphonse ? Hé ! il est bon ton
café... deux sucres, oui...

Elle n'était plus fatiguée. Elle se sentait merveilleusement bien. Elle n'avait pas du tout envie d'aller
se coucher !

— Tu es fatigué, toi, Alphonse ?

Il ouvrit tout ronds ses gros yeux blancs.

— Heu, non, maâme !

— Assieds-toi, alors !... oui, là !

Il est un peu éberlué, Alphonse ! Sa maîtresse est
certes gentille avec lui, mais de là à le prier de
s'asseoir dans le living, pour bavarder amicalement
avec lui !...

Il s'assied tout raide au bord du fauteuil. Sylvie,
amusée, rit tout haut :

— Tu es marrant, Aphonse ! moi aussi, remarque !...

Elle boit à petites gorgées son café brûlant. C'est bon ! Tout est bon ce soir...

— Dis-moi, Alphonse, tu es heureux, toi ?

Il la regarde avec une vague inquiétude. Les hommes blancs sont parfois bizarres, oui, et il est difficile de les comprendre. Mais quant à comprendre sa maîtresse, il y a belle lurette qu'Alphonse a renoncé ! Il l'adore, et il se ferait, pour elle, hacher menu — mais elle est vaguement, pour lui, quelque chose comme la Sainte-Trinité : un insondable mystère. Ainsi elle peut, en moins de cinq minutes, passer de la joie la plus exubérante au plus gros chagrin. Même, parfois, elle rit et pleure en même temps ! Vous comprenez ça, vous ? De même, elle possède l'art de poser, tout à trac, des questions auxquelles on ne s'attend pas du tout. Alphonse a pris le parti de ne plus s'étonner. Son inquiétude disparaît vite, et il la regarde avec une tendresse de Saint-Bernard résigné.

— Heureux, maâme ?

— Oui, Alphonse ! Tu ne trouves pas que la vie est belle ?

— Heu...

Alphonse, mal à l'aise, se gratte le crâne. Est-ce que ces mots, pour lui, ont un sens ? Sylvie rit. Je suis folle, pense-t-elle ; pauvre Alphonse... Il y a dix ans, il courait tout nu dans sa forêt natale, exactement comme un petit sauvage ; et voici que je le confronte brusquement avec vingt siècles de civilisation et de ratiocinations métaphysiques ! C'est à peu près comme si je demandais à Jules son avis sur le complexe d'Œdipe !

— Je veux savoir, Alphonse, si tu es content d'être ici, avec nous ?

— Très content, maâme !

Là, il a compris et ses yeux s'éclairent.

— Très content, mâame... toi, pas contente ?

— Si, Alphonse, oh ! si...

Rassuré, il a son bon sourire. Son bonheur, à lui, est fonction du bonheur de ceux qu'il aime. Sylvie est-elle contente ? — comme il dit — il est heureux. Sylvie est-elle triste ? Le voici navré et malheureux. C'est un simple. Et probablement un sage !

Sylvie se tait. Une joie forte et tranquille est en elle. Douceur de ce soir ; chaleur de ce soir... Je t'aime, mon Philippe ! Les flammes, lentement, achèvent de mourir.

Puis Sylvie bâille. Elle se lève.

— Oui, dit-elle, c'est magnifique de vivre !... Au dodo, Alphonse !

C'est à ce moment, comme elle traversait le hall et se dirigeait vers l'escalier, suivie d'Alphonse, qu'on entendit ce bruit. Un bruit faible, pareil à une plainte étouffée.

— Tu as entendu, Alphonse ?

— Vi, mâame...

Ils s'immobilisèrent, tendirent l'oreille. Cela venait du dehors. Une sorte de gémissement saccadé.

— On dirait un chien, fit Sylvie ; un chien perdu peut-être ?...

— Moi aller voir, maâme !

Il ouvrit la porte. Une bouffée de froid entra dans la maison et Sylvie frissonna. La nuit était d'un noir d'encre. On entendait sur le gravier de l'allée, crépiter la pluie.

— Tu vois quelque chose, Alphonse ?

Alphonse faisait quelques pas dans le jardin.

« Quel temps ! maugréa Sylvie... à ne pas mettre un chien dehors, quoi !... »

— Tu vois, Alphonse ?

Alors Alphonse, brusquement, poussa un grognement et se mit à courir. Sylvie s'approcha de la porte et écarquilla les yeux. Mais elle n'y voyait rien. Puis il y eut des cris, des halètements, derrière le massif de rhododendrons, comme si on se battait. Sylvie eut peur. Un voleur ?

— Alphonse ! cria-t-elle, reviens, Alphonse !

Presque aussitôt elle distingua sa silhouette. Il portait queque chose, quelque chose qui se débattait.

— Lui m'avoir mordu, cria-t-il, lui vrai petit diable !

Il entra avec son fardeau et Sylvie, avec stupeur, vit qu'il portait un enfant.

— Mais, c'est un gosse !

C'était un gosse, oui. Un garçon d'une dizaine d'années, trempé de pluie, les vêtements en désordre, les yeux fous, le visage blême.

— Mais...

Sylvie, sans comprendre, le regardait. Que faisait-il là, tout seul, dans la nuit froide, dans la pluie ? Qui était-il ? D'où venait-il ?

— Bonjour, dit-elle, comment t'appelles-tu ?

Mais l'enfant lui jeta un regard sauvage, haineux, et recommença de se débattre.

— Mets-le dans le living, dit-elle à l'intention d'Alphonse, et prépare-lui quelque chose de chaud... Il a l'air complètement perdu, ce petit !

Fut-ce l'effet de la voix de Sylvie ? ou l'enfant comprit-il qu'il était inutile de vouloir encore résister ? Il se laissa emmener dans le living et Alphonse le coucha sur le divan. Il ne bougea plus. Recroquevillé sur lui-même, il se mit à pleurer en silence, à

petits hoquets convulsifs. Il avait un étroit visage
pâle et défait sous une masse de cheveux en désordre. Ses mains étaient bleues de froid. Ses jambes
nues étaient maigres ; ses genoux écorchés, et une
mince traînée de sang serpentait jusqu'à sa cheville,
engluait sa courte chaussette. Il était vêtu d'un chan-
dail de grosse laine bleue et d'une sorte de pèlerine
de rugueuse étoffe, bleue également. Sylvie, bouleversée, le regardait. « Pauvre petit, pensa-t-elle, on
dirait un moineau tombé du nid... Mais que pou-
vait-il bien faire dehors à cette heure-ci ? »

Elle s'approcha de lui et il eut un brusque mouvement de recul.

— Non... n'aie pas peur... Je suis une amie, tu
sais ? Quelle idée de te promener par un temps pareil ! Tu habites le quartier ?

Mais il ne répondait pas. Il baissait la tête, regardait fixement devant lui, pleurait doucement. Alors
Sylvie, avec précaution, lui caressa les cheveux.

— Mais tu es tout mouillé ! En voilà un jeu ! Est-
ce que tu veux absolument tomber malade ?... Moi,
je m'appelle Sylvie. Et toi ?

Il ne répondait pas. Il demeurait tassé dans le
fond du divan, reniflant à petits coups. Il grelottait.

Quand Alphonse revint, apportant un énorme bol
de lait chaud, il eut de nouveau ce mouvement de
recul et une frayeur lui emplit les yeux.

— C'est Alphonse qui te fait peur ? demanda Sylvie ; il ne faut pas avoir peur d'Alphonse ; c'est un
ami, lui aussi... Regarde plutôt ce qu'il t'apporte !

— Moi apporter bon lait ! fit Alphonse, toi boire
bon lait !

Il riait de toutes ses dents, Alphonse. Sylvie prit le
bol et le tendit à l'enfant. Il hésita. Il regardait Sylvie si gravement, si intensément, si douloureusement

qu'elle comprit que, derrière ce front têtu, un drame se jouait.

— Bois, dit-elle, bois, mon petit...

Il prit le bol et se mit à boire avec avidité, sans lever la tête. Sylvie l'observait. Cet air malingre, ce regard à la fois farouche et révolté... Il devait avoir une dizaine d'années, oui ; peut-être moins. Et ses pauvres vêtements disaient assez qu'il n'était pas de ce quartier de bourgeois aisés... Il portait d'épaisses chaussures noires, pleines de boue. Un enfant perdu ? Il buvait son lait et, dans le même temps, son visage devenait rouge. Il but jusqu'à la dernière goutte. Puis, toujours sans un mot, il tendit le bol à Sylvie.

— Tu en veux encore ?

Il hocha la tête. Sylvie rit :

— Tu n'es pas bavard, toi ! Comment t'appelles-tu ?... Non, il ne veut rien dire ! Tu vois, Alphonse, il a perdu sa langue !

Perplexe, elle regardait l'enfant. Elle pensa que ses parents devaient être affolés et le chercher partout. Mais que faire ? Au moins, s'il consentait à dire son nom !

Il fermait les yeux à présent. Il appuyait la tête sur le dossier du divan. Il respirait bruyamment. Curieux, comme ses joues étaient devenues rouges... « Ma parole, pensa Sylvie, il va s'endormir ! je ne peux tout de même pas le garder ici... Si je téléphonais à la police ? »

Elle se leva. Mais alors, brusquement, l'enfant ouvrit les yeux. Des yeux brillants, fiévreux, immenses.

— Non, cria-t-il, non... je ne veux pas, je ne veux pas que tu partes... non, ma petite maman !

Il se jeta sur Sylvie. Comme une bête traquée. Il tremblait. Il se serrait contre Sylvie, follement, éper-

dument, de toutes ses pauvres petites forces. « ...Ma
petite maman ! » Il avait crié cela. Et Sylvie avait
reçu en elle ce cri déchirant. Il sanglotait. Il s'agrip-
pait à elle. Bouleversée au plus profond d'elle-même,
elle le tenait entre ses bras. « Mon Dieu, pensait-elle,
mon Dieu, pourquoi ce cri ?... » Elle devinait un
secret, une douleur vive enfoncée au cœur de cet
enfant. De ce petit enfant perdu dans la nuit, cram-
ponné à elle comme le naufragé à sa bouée...

Elle se pencha, s'agenouilla :

— Mon chéri, qu'est-ce que tu as ?

Elle mit ses lèvres sur le front de l'enfant. Ce
front était brûlant.

— Mais... mais il a la fièvre ! Alphonse, le thermomètre !

Elle enleva la pèlerine, les chaussures ; le recoucha dans le divan. Il avait refermé les yeux. Inerte,
il se laissait faire. Il gémissait faiblement.

— Vite, Alphonse !

Le thermomètre. Et la mince colonne de mercure
commence à monter. Trente-sept, trente-sept cinq ;
trente-huit ; trente-huit cinq... L'inquiétude noue la
gorge de Sylvie. Trente-neuf... La colonne de mercure ralentit, hésite, monte encore, s'arrête enfin.
Trente-neuf huit !

— Trente-neuf huit, Alphonse ! Mais il est malade, ce pauvre gosse ! Seigneur, que faire ?

Oui, il est malade. Ses joues, ses mains, son front,
ses genoux sont en feu. Sa respiration devient sacca-
dée. S'il allait mourir ?

— Que faire, Alphonse ?

Alphonse ne sait pas... Il roule des yeux effarés,
ouvre les bras en signe d'impuissance. Mais Sylvie,
devant le danger, réagit vite. A demain les ques-

tions ! Le soigner, d'abord... Encore une chance que
ce divan soit un lit-divan !

— Prépare le lit, Alphonse ! Déshabille le gosse
et couche-le... puis ranime le feu !

Le soigner, d'abord...

Sylvie, nerveusement, décroche le téléphone et
compose un numéro... Là-bas, au loin, la sonnerie
retentit...

— Je voudrais parler au docteur Charpentier, s'il
vous plaît... (1) pardon ? Oh ! c'est toi, Jacques ! Je
m'excuse de te déranger, mon vieux, mais il m'arrive une chose peu banale, figure-toi que...

_____

(1) Voir « Sylvie, Hôtesse de l'Air », (Mademoiselle n° 3).

CHAPITRE II

Dans son lit improvisé, il dormait d'un sommeil agité. Ses cheveux noirs étaient collés en mèches sur son front. Ses lèvres étaient affreusement sèches. Le souffle rapide, il gémissait. Sylvie se pencha sur lui. Il rejetait la tête en arrière et on voyait, sous son menton, un delta de petites veines bleues. Son pouls battait durement. Sous les yeux se creusaient de longs cernes bleuâtres. Un enfant, un petit homme, terrassé par la maladie... ! Pour la dixième fois, Sylvie se reposa la question : que faisait-il, à cette heure, dans le jardin ? Elle avait téléphoné à la police, mais on ne savait rien. « Nous allons faire une enquête, madame, on vous rappellera ; vous voulez bien le garder chez vous ? » Bien sûr qu'elle le gardait ! « Ma petite maman ! » avait-il crié. Pourquoi ?

Sylvie s'assit dans le fauteuil. Seul était allumé le lampadaire et la chambre était dans la pénombre. Au-dehors, la pluie redoublait de violence. Une heure... une heure du matin... Et sa mère, sa mère

qui doit être folle d'inquiétude ? A moins qu'il n'ait
plus de maman ? Ces vêtements grossiers, qui font
songer à un uniforme d'orphelinat... Ce visage fermé,
farouche, qui n'est pas le visage d'un enfant heureux... Mystère. Il faut attendre...

— Va te coucher, Alphonse !

Alphonse est assis dans l'autre fauteuil, immobile
comme une statue. Il regarde l'enfant. Il l'a désha-
billé, tout à l'heure, avec des gestes prudents d'infir-
mière.

— Moi préfère rester, maâme ! moi inquiet pour
lui !

Cet Alphonse, quand même, un corps de géant et
un cœur en mie de pain !

— Comme tu voudras, Alphonse...

Sur la cheminée, la pendule fait son tic-tac... Comment se nomme-t-il ? Il n'a pas voulu dire son nom.
Il n'a rien voulu dire ! Un pauvre petit animal
blessé, traqué... La vie est bizarre, hein, Sylvie ? Il
y a une heure à peine, tu te sentais magnifiquement
heureuse et tu étais persuadée que le monde entier
baignait dans le bonheur. Tu te souviens ? Tu marchais dans les rues de la ville et tu imaginais, dans
leurs maisons aux volets clos, les gens douillettement
nichés au creux de leur paix. Et les enfants, Sylvie,
les enfants qui avaient, sur les lèvres, un sourire
d'ange... Mais lui ? Il allait sous la pluie, tout seul,
avec le poids trop lourd, le poids injuste de sa peine.
Il avait froid, il avait peur. Les petits enfants, c'est
fait pour rire, pour jouer, pour connaître la douceur
et la chaleur d'un foyer. Lui, il est venu s'abattre
dans le jardin. Il te regardait avec ses yeux immenses.
Il tremblait. Il tremblait de froid, de peur, de
fièvre. Il a bu avidement le bol de lait. Avidement,
comme s'il craignait que tu ne le lui reprennes. Et

il se tassait dans le divan, craintif, comme s'il craignait de recevoir des coups... Pourquoi ?

— Que vas-tu faire ?

Elle ne le savait pas. Demain, on verrait bien ! En attendant, il fallait le soigner, le guérir, le chérir. Pauvre gosse ! Et si c'était un petit voyou ? Sylvie, aussitôt, rejeta cette pensée. Un petit voyou, à dix ans ? D'où qu'il vienne, et pour quelque raison qu'il ait échoué ici, il n'est rien d'autre qu'un enfant malade. Il n'y a pas de petits voyous... Il n'y a que des gosses révoltés, prématurément marqués par la vie — parce qu'on n'a pas su, ou pas voulu les aimer. Tout le monde n'a pas la chance de naître dans une maison tiède, de connaître le vigilant amour de ses parents, de grandir ainsi tranquillement, joyeusement, à l'abri du mal, des privations et de la souffrance... Regarde-le, Sylvie... Il est beau. Sa peau est lisse. Le sommeil lui enlève son masque de dureté et il s'est envolé pour le pays des rêves. Rêve-t-il ? et à quoi, s'il rêve ? Non, il gémit. Il fait une grimace douloureuse, une moue de bébé, comme s'il allait pleurer. Il a mal. Il respire avec effort et on l'entend qui halète. Rien d'autre qu'un petit enfant malade... Injuste, oui, c'est injuste !

— Et Jacques, qu'est-ce qu'il fabrique, Jacques ?

Tout de suite, Sylvie avait pensé au docteur Charpentier, cet ami sûr, cet ami de toujours, qui avait naguère sauvé la vie de Jean-Lou (1). Elle avait en lui une confiance aveugle. Sa seule présence était rassurante : ce garçon solide, tranquille, méthodique, d'une intelligence calme et lucide, donnait une extraordinaire impression de force et de protection. Il ne

(1) Voir « Sylvie, Hôtesse de l'Air », (Mademoiselle n° 5).

posait pas de questions inutiles, ne tentait pas d'épater les gens en usant d'un jargon médical incompréhensible et pédant. Non : il écoutait, puis il agissait. Tout à l'heure, au téléphone, il s'était borné à dire : « Compris, Sylvie, j'arrive ! » Au milieu de la nuit, par ce temps de chien, il accomplissait simplement son boulot.

On entendit grincer les pneus, puis la portière claqua.

— Le voilà, Alphonse !

Elle se précipita au-devant de lui.

— Jacques !

— Bonjour, Sylvie !... bonne nuit, plutôt !

Il enlevait son manteau, le tendait à Alphonse, souriait. Et Sylvie, de retrouver ce sourire paisible, ce regard cordial, se sentait soulagée.

— Qu'est-ce que cette histoire ? disait le docteur Charpentier, on ramasse des gosses dans son jardin, à présent ? Où est-il, ce sacripant ?

Il suivait Sylvie dans le living, s'arrêtait devant le lit, regardait l'enfant.

— Ouais... fit-il, je vois. Le genre chat de gouttière !... Je crois que j'ai été bien inspiré d'emporter de la pénicilline...

— C'est grave, Jacques ?

— Sais pas ! j'espère que non...

Il hochait la tête :

— Inouï, ces gosses, reprit-il... Neuf ans, tout au plus... Et pas besoin d'être sorcier pour voir qu'il est terriblement sous-alimenté !

Dans la vie du docteur Charpentier, il y avait un drame. Sa femme Madeleine, qu'il adorait, ne pouvait pas avoir d'enfant. C'était la seule tristesse de ce ménage uni, exemplaire, mais une tristesse d'autant plus navrante que tous deux la savaient irrémédiable. Et

le docteur Charpentier, chaque fois qu'il se trouvait
devant un enfant, ne pouvait s'empêcher de songer à
cela, et d'être profondément ému.

— Oui, fit-il encore, ces gosses... Bon, on va voir
ça de plus près ! Aide-moi, Sylvie...

Elle l'aida à découvrir l'enfant. Il était simplement
vêtu d'une chaude veste de pyjama de Gambier qui
l'habillait à la manière d'une longue chemise de nuit.
Il ouvrit les yeux. Apercevant le docteur Charpentier,
il poussa un petit cri et tendit les bras à Sylvie.

— Allons, allons ! fit-elle d'une voix douce, tu ne
vas pas avoir peur ? Un grand garçon comme toi! Tu
sais que tu es malade, et que le docteur va te guérir ?...

Il tremblait comme une feuille.

— Maman ! murmura-t-il, et il noua ses bras autour
du cou de Sylvie.

De nouveau, elle sentit son cœur se serrer. Pourquoi, mais pourquoi l'appelait-il maman?

— C'est la seconde fois, dit-elle, à l'intention du
docteur Charpentier, qu'il me prend pour sa mère.
Qu'est-ce que cela veut dire, Jacques ?

Le docteur haussa les épaules :

— Peut-on savoir ? Avec cette fièvre, il est normal
qu'il délire un peu...

De son regard amical, mais auquel rien n'échappait,
il observait l'enfant :

— Teint légèrement bleuté, fit-il, comme se parlant
à lui-même, battement des ailes du nez... Ça me paraît clair !

— C'est quoi, Jacques ?

Il ne répondit pas. Il ouvrit sa trousse, secoua le
thermomètre.

— Tu as pris sa température ?

— Oui, trente-neuf huit...

— Bon, voyons ce que cela donne maintenant...
Couche-le.

Mais le garçonnet résista, se cramponna, éperdu, au
cou de Sylvie. Elle le repoussa doucement.

— Couche-toi, mon chéri... On ne te fera pas de
mal, je te le promets ! D'ailleurs, je ne te quitte pas...
Tu veux te coucher pour me faire plaisir?

Elle lui souriait. Alors, brusquement, il lui rendit
son sourire et se coucha, docile. Il mit sa petite main
dans la main de Sylvie.

Dans l'étroit canal de verre, le mercure recommença
de monter. Sur la cheminée, inlassablement, la pendule faisait son tic-tac. Une voiture passa dans la rue ;
on entendit décroître le bruit du moteur.

— Quarante virgule huit ! fit Jacques.

Sylvie eut l'impression qu'on lui mettait, dans le
dos, un bloc de glace. Effrayée, elle regarda le médecin :

— Mais alors... c'est grave ! Il ne va pas...

Une brusque épouvante était en elle. Non, elle ne
voulait pas ! elle ne voulait pas qu'il meure... Un enfant, un petit enfant perdu, glacé, transi, qui criait
maman en se jetant contre elle... Non, pas ça !

— Du calme, ma petite Sylvie ! Qui te parle de ça ?
Les gosses, tu sais, ils font une fièvre de cheval pour
deux fois rien... Remonte cette veste, tu veux ?

Elle obéit. Avec peine, elle avala sa salive. Quand
même, s'il mourait ? Jamais ! elle ne voulait pas !
Cet enfant qu'elle ne connaissait pas, qu'elle n'avait
jamais vu, il lui semblait que déjà elle l'aimait de
tout son être, qu'il lui appartenait, qu'elle avait mission de le protéger, de le défendre... « Maman »
avait-il dit. Et une immense tendresse maternelle,
brusquement surgie, gonflait le cœur de Sylvie. Une
sourde colère, aussi, contre le mal, contre la maladie

qui poignardait cet enfant. Elle sentait, dans sa main, frémir la petite main. Et elle savait qu'elle était prête à tout, à toutes les luttes, à tous les sacrifices — à tout — pour le sauver.

Muet, immobile, debout devant la cheminée, Alphonse retenait son souffle ; et ses bons yeux étaient pleins d'une tristesse incrédule. Alphonse, dont l'infaillible instinct devinait les choses...

— Alors, Jacques ?

Le docteur regarde ce torse maigre, étroit ; ces côtes qui jaillissent. Pneumonie..., pense-t-il. Pauvre gosse ! Il ajuste son sthétoscope. Il écoute. Ce thorax haletant, ce léger râle, cette diminution du murmure vésiculaire à la base droite... L'enfant ne bouge pas. Les yeux fixes, il contemple le plafond. Avec une sorte de terreur au fond des yeux. Que voit-il, sur le plafond lisse et blanc ? Jacques se penche sur lui, attentif. Ce souffle qui correspond trop bien, hélas ! à l'hépatisation d'un lobe pulmonaire... Ferait-il, en plus, une réaction pleurale ?

— Ecoute-moi, petit... Tu veux répéter avec moi : trente-trois, trente-trois, trente-trois...

L'enfant se tourne vers lui, le regarde sans comprendre.

— Chéri, dit Sylvie, répète avec moi: trente-trois, trente-trois...

Il sourit. Imagine-t-il un nouveau jeu, un drôle de nouveau jeu ?

— Trente-trois, murmure-t-il, trente-trois, trente-trois...

Il s'arrête, haletant, épuisé par ce misérable effort.

Jacques, à présent, les mains posées à plat sur la poitrine du petit, écoute se transmettre les vibrations thoraciques.

Aucun doute, cette fois...

— Alors, Jacques ?

— Alors...

Il recouvre l'enfant, tranquillement, méthodiquement.

— ...alors, c'est clair : pneumonie lombaire, vraisemblablement compliquée d'une réaction pleurale. Une pleurésie, quoi !

— C'est très grave ?

— Oui et non. Une simple pleurésie métapneumonique n'est pas très grave. Si elle est purulente, c'est une autre affaire !

Il réfléchit. Il se mord la lèvre inférieure.

— Tu ne sais pas d'où il vient, Sylvie ?

— Non, ni d'où il vient ni qui il est. J'ai téléphoné à la police ; ils font des recherches... Pourquoi me demandes-tu ça ?

— Parce qu'il faut le transporter à l'hôpital...

Jamais ! elle ne veut pas. Elle veut le garder, l'aimer, le sauver. A l'hôpital, lui, avec ses yeux qui ont peur ? A l'hôpital, tout seul, parmi les longs couloirs lugubres, l'âpre odeur de l'éther et la cruauté glacée des meu'-les en acier ? Lui, si faible, si fragile, si confiant ?

— Je ne veux pas, Jacques !

— Rends-toi compte, Sylvie, il a besoin de soins, d'une surveillance constante...

— Et moi, alors ?

— Toi ? Tu as ta vie, tes occupations... Il va t'encombrer, ce gosse...

— Jacques !

Elle le regarde durement.

— Pour qui me prends-tu, Jacques ? Ce petit, je veux m'en occuper ! et... il n'a que moi!

Le docteur Charpentier sourit :

— Tu n'as pas changé, va ! tu es une chic fille ! Ce

que je disais, tu sais, c'était pour toi... Ça va te demander un sacré boulot ! Tiens, je t'aime bien!...
mais... et Philippe ?

— Parti pour dix jours... Et puis, même, tu crois
que Philippe mettrait à la porte un petit enfant malade ?

C'est qu'elle commence vraiment à se fâcher !

Le docteur Charpentier lève la main :

— Non, non ! mais mieux vaut prendre ses pré-
cautions. Aucun papier d'identité sur lui, le gosse ?

— Rien, rien du tout... Je peux le garder, Jacques ?

De nouveau, le docteur Charpentier hausse les
épaules.

— Hé ! nous n'avons pas le choix : ici ou l'hôpital.
Note qu'il serait peut-être prudent de lui faire une
ponction, mais il n'est guère transportable, au fond...
Et j'ai l'impression que, de toute manière, mieux vaut
attendre, on verra bien. On va d'abord parer au plus
pressé...

Il se lève, fouille dans sa trousse, en sort une seringue.

— Qu'est-ce que c'est, Jacques ?

— Pénicilline-streptomycine. Et puis une autre pi-
qûre pour lui soutenir le cœur...

De nouveau, il faut découvrir l'enfant. Mais c'est
à peine s'il gémit lorsque l'aiguille, à deux reprises,
lui pénètre dans la chair. Brisé, exténué, il dort.

— Et voilà ! fait Jacques, je reviendrai demain matin, bien entendu. On va le bourrer d'antibiotiques, de
tonicardiaques et de vitamines C ! Curieux gosse...
Qu'est-ce qu'il pouvait bien fabriquer dans ton jardin
en pleine nuit ?

Sylvie ne répond pas. Il y a, dans sa tête, comme
un marteau qui frappe. « Si elle est purulente, a dit

Jacques, c'est une autre affaire... » Et si elle était purulente ?

— Jacques, si elle était purulente ?

Il regarde Sylvie, sourit, fait un geste évasif.

— Et pourquoi veux tu absolument qu'elle soit purulente, cette pleurésie ?

— Jacques, il ne va pas...

Elle n'ose pas prononcer ce mot : mourir.

— Tu es folle, Sylvie ! Allons, je m'en vais, Madeleine va s'inquiéter.

Il sourit, mais Sylvie ne croit pas à ce sourire. Elle sait bien que c'est grave, peut-être très grave... Mais elle sait aussi que Jacques ne livrera pas le fond de sa pensée.

— Au revoir, Sylvie !

— Au revoir, Jacques...

Elle a entendu démarrer la Chevrolet. Elle a obligé Alphonse à aller se coucher. Elle a traîné le fauteuil à côté du lit. Elle est prête. Elle veillera nuit et jour. N'est-ce pas, Philippe, que nous le sauverons ? Les petits enfants, ce n'est pas fait pour mourir... Elle n'est pas fatiguée : Il est deux heures et demie de la nuit.

La pendule fait son tic-tac. Elle bat comme un cœur.

*
**

Il dort. Ses lèvres sont entrouvertes. Quelle heure est-il ? Cela n'a pas d'importance. L'important est qu'il vive. L'important est que ce petit cœur fragile — frêle oiseau dans cette étroite poitrine dont on

voit les côtes comme des barreaux —, que ce cœur
continue de battre. Que dans ce fin réseau de veines
bleues, le sang rouge continue de couler. Vivre ! on
ne pense pas à la vie. Vivre ! cela est si naturel, si
normal, si banalement quotidien, qu'on ne peut imaginer vraiment la mort. On apprend, de temps à autre,
que quelqu'un est mort, qu'on connaissait. Et cela
nous fait un choc — comme un rappel à l'ordre que
Dieu nous ferait. Il est mort, lui ? Pas possible. On
est ému, vaguement inquiet. Puis on se met à
parler de lui à l'imparfait : il disait, il faisait...
On s'habitue. On replonge dans la vie avec une
avidité nouvelle. Il y a aussi les petits Chinois qui
meurent de faim, les soldats qui meurent sur les
champs de bataille, les vieillards solitaires qui meurent dans les asiles. Mais ces morts-là sont si loin de
nous, si impersonnels, si anonymes ! Et pourtant, ils
meurent vraiment. Et pourtant la terre continue de
tourner, comme une grosse toupie ronde, indifférente,
avec ses arbres, ses fleurs, ses montagnes et ses plai-
nes... Oui. La mort, qu'on représente sous la forme
d'un squelette vêtu d'un suaire blanc, et tenant la
faulx dans sa main décharnée... Mais ce n'est pas cela,
la mort. C'est beaucoup plus simple, beaucoup plus
vrai, beaucoup plus déchirant. Tout à coup, elle s'installe chez vous, sans crier gare, par un soir doux et
pluvieux, alors que vous philosophiez sur le bonheur.
Elle s'installe dans le corps d'un petit enfant inconnu ;
invisible, sournoise, silencieuse. Dans le corps d'un petit enfant, d'un petit garçon qui dort, qui ne sait pas,
qui ne se méfie pas... Alors brusquement on comprend, on se rend compte. Vite, il faut faire vite ! Il
faut le sauver, Jacques ! Pénicilline, antibiotiques, tonicardiaques... Toute la science des hommes se met à
lutter contre la mort. Tout l'amour des hommes pour

cet enfant malade... Mais il faut attendre. Il faut attendre l'issue du combat. Attendre, attendre...

Il dort. Ses lèvres sont entrouvertes... De temps à autre, il gémit faiblement. Et il y a, dans le monde, des millions d'enfants qui reposent, à cette heure-ci, avec un sourire d'ange sur les lèvres... Non, mon Dieu, cela n'est pas juste. Oh ! je sais : Vous avez Vos raisons, Vos secrètes raisons. Mais comment les accepter ? comment ne pas, à cette idée, se révolter ? C'est fait pour être heureux, les petits enfants ; pour rire, courir, jouer dans le soleil ou dans la neige... Il n'avait pas l'air heureux, lui. Il y avait de la peur dans ses yeux. Il se débattait dans les bras d'Alphonse ; il voulait fuir... Fuir quoi ? pour aller où ?

Il dort. Il faut attendre. Réaction pleurale ; pleurésie ; pleurésie purulente... Des mots savants, des mots barbares. Mais ce ne sont pas des mots pour les enfants. N'est-ce pas, Seigneur ?

Jacques reviendra demain, dans quelques heures. Il souriait, Jacques. Je connais ce sourire-là, ce sourire un peu honteux qui ressemble à un pieux mensonge. Il faut le sauver, Jacques ! Tu as étudié ces choses dans les livres ; tu sais ces choses. Il faut le sauver...

On entendit, au loin, passer le premier tramway. Sylvie frissonna. Elle se leva, alluma une cigarette, d'un geste machinal ; aussitôt l'éteignit. Il a raison, Jacques, pensa-t-elle, je suis folle ! Quelles idées je vais me fourrer dans la tête ! Comme si on mourait comme ça, aujourd'hui avec les progrès de la médecine ! Il y a des milliers de gens qui ont eu une pleurésie et qui ne s'en portent pas plus mal. Je suis sûre que dans dix jours il sera debout, ce petit gredin ; qu'il rentrera joyeusement chez lui et aura bientôt fait de m'oublier ! Bah ! c'est la vie...

Doucement, elle s'approcha de nouveau du lit. Alors, il y eut cette chose bouleversante : comme si, dans son sommeil, il sentait la toute proche présence de Sylvie, l'enfant tout à coup ouvrit les yeux. Il fixa sur Sylvie son regard brûlant. Puis il sourit. Un vrai sourire d'enfant ; confiant, heureux.

— Tu es là, murmura-t-il, tu es là, ma petite maman...

Et il referma les yeux.

Sylvie avait pâli. Une fois de plus, elle recevait en elle ce mot merveilleux auquel elle n'avait pas droit. « Ma petite maman... » Pourquoi, mais pourquoi donc ?... Elle regardait intensément ce visage d'enfant. Elle le regardait, et une sorte de sanglot bizarre, peu à peu, lui nouait la gorge.

— Encore malade ?

C'était Alphonse qui passait, par l'entrebâillement de la porte, une tête inquiète.

Sylvie s'arracha de ses pensées.

— Oui, Alphonse... Mais il sera bientôt guéri... le docteur va revenir...

— Pas mouïr, hein, maâme ?

Ainsi, il y pensait aussi, lui, Alphonse ! Son visage, à l'habitude du plus beau noir, virait au gris, ce qui signifiait qu'il n'avait pas fermé l'œil de la nuit !

— Hein, maâme ?

Sylvie hésita, hocha la tête.

— Mais non, Alphonse ! que vas-tu imaginer ? ! Mais non, voyons... Tiens, si tu nous préparais plutôt une tasse de café ?

— Vi, maâme, tout de suite !

Et il s'en va, rassuré. Du moment que Sylvie dit
que le petit ne va pas mourir, il n'y a plus lieu, pour
Alphonse, d'être inquiet. Elle sait tout, Sylvie, n'est-
ce pas ?

⁎
⁎⁎

— Bonjour, Sylvie !... oh ! on n'a pas très bonne
mine... tu ferais bien d'aller dormir, toi !

Le docteur Charpentier était déjà là, alors que le
jour commençait à peine à poindre.

— Alors, demandait-il, qu'est-ce qu'il raconte, notre
enfant trouvé ?

— Rien, Jacques, il dort...

— Tu as repris sa température ?

— Non... il fallait le réveiller ?

— Non, non, tu as bien fait !... A propos, j'ai raconté tout cela à Madeleine ; elle viendra tout à
l'heure voir si elle peut t'être utile... Tu sais, elle,
dès qu'elle peut s'occuper d'un gosse... Ça ne t'ennuie
pas, au moins ?

— Mais pas du tout, au contraire !

Pauvre Madeleine ! Tout pour être heureuse : un
mari qu'elle aime, la beauté, la santé — tout, sauf un
petit enfant... Pauvre Madeleine, si blonde, si douce,
si sereine... Quand elle passe dans la rue, avec son
air un peu absent, son allure tranquille — royale !
dit Gambier — qui soupçonnerait qu'elle souffre de
ce manque terrible pour un cœur de femme : un enfant à aimer ?

— ...au contraire, Jacques, qu'elle vienne !

Ils étaient devant le lit. L'enfant, réveillé, fixait sur
eux un regard vide, aveugle. Puis il tourna la tête et
ne bougea plus.

— Ouais... fit le docteur Charpentier, en tout cas cela ne semble pas aller plus mal... Il paraît plus calme et on dirait qu'il respire un peu mieux...

Il mit la main sur le front de l'enfant, fit la moue.

— Tenace, cette fièvre ! Voyons ça...

Thermomètre. Les mêmes gestes, les mêmes rites... Trente-sept, trente-huit, trente-neuf deux...

— Trente-neuf deux, dit-il.

D'un geste machinal, il secoue le thermomètre.

Trente-neuf deux ? Sylvie connaît une brusque joie.

— Ça va mieux, Jacques !

De nouveau, il refait cette moue.

— Non, dit-il ; on ne peut rien dire. C'est encore beaucoup, beaucoup trop... La fièvre tombe toujours le matin ; j'espérais...

— Quoi ?

Il hausse les épaules :

— Rien ! Ne t'en fais pas, Sylvie, je te jure qu'il n'y a pas lieu de s'alarmer exagérément ! Découvre-le...

Baisser les draps ; relever la veste de pyjama blanche, à rayures bleues. Les mêmes gestes, oui, les mêmes rites... Ces mains qui auscultent, qui tâtent, qui traquent le mal... Ces mains longues et fortes, habiles, qui écoutent... Sauve-le, Jacques ! Ces mains qui vont, qui viennent, qui s'attardent... C'est long. On entend marcher des gens dans la rue. Bruits de voix, bruits de pas... Un jour nouveau qui commence. Les ouvriers qui s'en vont à leur travail. Les fidèles, qui se hâtent vers l'église pour la messe du matin. Tout à l'heure, l'essaim turbulent des écoliers... Et lui ?...

Le docteur Charpentier réfléchit.

— Jacques ?

— Sais pas ! il faut encore attendre, ma petite Sylvie. Ce qui est sûr, c'est qu'il n'y a absolument

aucun symptôme d'aggravation... un très léger mieux,
peut-être... Mais il a dû recevoir un sérieux choc, ce
petit ! Dès que possible, nous le ferons radiographier :
je serai plus tranquille... Je vais lui refaire une pen-
strepto... L'ennui, tu vois, c'est qu'on ne sait rien
de son passé médical ! Tu n'as toujours aucune nouvelle ?

— Non...

— Insensé ! Un gosse vous tombe dans les bras,
malade, en pleine nuit, et nul ne s'avise de le récla-
mer ! Enfin, on verra...

Seringue, aiguille, ouate... Et la froide odeur de
l'éther.

— N'aie pas peur, mon chéri ! Tu es un homme,
n'est-ce pas, un grand garçon ?

Sylvie, entre ses deux mains, a pris le visage de
l'enfant. Une ombre de sourire flotte sur ses lèvres,
que la fièvre a desséchées. Il n'a pas peur. Il est résigné, stoïque. Il a juste poussé un petit cri bref.

— Tu vois, c'est fini ! Tu es très courageux ! Veux-
tu ton jus de citron ?

Elle le soulève contre elle et il boit deux gorgées.
Puis il se laisse retomber, referme les yeux.

Le docteur Charpentier sourit.

— Joli tableau ! dit-il, tu ferais une délicieuse
maman...

Sylvie, émue, sourit à son tour...

— Mais j'espère bien, Jacques ! J'espère bien qu'un
jour...

Jacques hoche la tête :

— Moi, ça m'aurait plu, des gosses...

Sylvie ne répond pas. Que répondre ? Il y a un lourd
petit silence.

— Bon, dit Jacques, tout ça n'arrange rien. Je file !
Continue les antibiotiques, un toutes les deux heures...

Et les vitamines, bien entendu. Je repasserai dans la soirée. D'accord, donc, pour Madeleine ?

— Mais bien sûr, avec plaisir !

— Au revoir, Sylvie.

— Au revoir, Jacques...

Il s'en va. Vers d'autres lits, vers d'autres malades qui l'attendent. Une journée nouvelle qui commence...

— Maâme !

C'est Alphonse, avec son grand corps, ses grands bras et son air effaré de mère poule !

— Maâme, le docteur dire quoi ?

— Il faut encore attendre, Alphonse ! Tu vas aller acheter des citrons, tu veux ?

— Vi, maâme !

S'il veut ! S'il le fallait pour sauver le petit, il retournerait à pied jusqu'au cœur de l'Afrique, cueillir les beaux fruits mûrs de son pays...

— Tout di suite, maâme !

Dehors, la pluie continue de tomber. Les arbres du jardin agitent leurs longs bras maigres. Si au moins tu étais là, Philippe, toi qui es fort, toi qui tiens en respect les obscures forces du mal...

CHAPITRE III

— Maâme ! Missié curé li vouloir te parler !

Sylvie, qui s'assoupissait dans un fauteuil du living, tressaillit.

— Qu'est-ce que tu racontes, Alphonse ?

— Là un missié curé ! li vouloir te voir !

— Monsieur le curé ?

— Vi !

Sylvie, interloquée, se demanda ce que le curé de la paroisse pouvait bien lui vouloir. Il ne pouvait s'agir, évidemment, que de l'enfant...

— Fais-le entrer au salon, Alphonse, j'arrive !

Elle se mit debout avec effort. Elle commençait à ressentir cruellement la fatigue. Dans son lit, l'enfant dormait toujours, abattu par les médicaments. Sylvie, rapidement, se donna un coup de peigne, brossa sa jupe du plat de la main et se hâta vers le salon.

Elle eut la surprise d'y trouver un prêtre inconnu. Il était grand, maigre, très jeune. Il portait un collier de barbe noire qui le faisait ressembler un peu au Christ.

— Madame Gambier, je crois ?

— Oui, fit Sylvie... Monsieur l'abbé ?...

— L'abbé Brun, oui, comme la couleur !

Il sourit, tendit la main à Sylvie. Il inspirait, dès l'abord, une étonnante sympathie. Il avait un regard franc et joyeux, la poignée de main brusque mais cordiale.

Sylvie, du geste, l'invita à s'asseoir.

— Madame, dit-il, je m'occupe des garçons de l'Orphelinat de Saint-Louis, j'ai su par la police...

— Oui, l'interrompit Sylvie, il est ici, il est malade... Vous avez bien dit : l'orphelinat ?

Un orphelin ! Quelque chose, en Sylvie, brusquement, se déchirait ; quelque chose qui faisait mal... Un orphelin ! Un de ces pauvres gosses qui sont seuls au monde ; qui s'en vont dans la vie vaille que vaille, offerts à tous les coups, à toutes les déceptions, sans la chaude protection d'un papa, sans la vigilante tendresse d'une maman... Un orphelin ! Un de ceux-là qu'on rencontre parfois dans la rue, en troupeau, deux par deux, semblablement vêtus d'un pauvre uniforme, semblablement marqués au fond des yeux d'une blessure sourde qu'ils ne comprennent pas... Un orphelin ! Un petit garçon amputé à jamais de l'irremplaçable amour dont ont besoin — comme les plantes, du soleil — tous les petits garçons du monde... « Ma petite maman !... » Il criait ce mot. Il se jetait sur Sylvie. Lui qui n'avait pas de maman, il criait cela...

En un instant, Sylvie eut les yeux pleins de larmes.

— Excusez-moi, dit-elle.

Mais le jeune prêtre la regardait avec douceur.

— Madame, le petit Pierre a eu de la chance, je crois, de venir vers vous...

— Il se nomme Pierre ?

— Oui, Pierre Vincent... Son histoire est très banale, vous savez. Mais lui n'est peut-être pas un enfant comme les autres... Désirez-vous que je vous raconte ?...

— Oui...

Le jeune abbé se recueillit un instant. Une sorte de tristesse fugitive passa dans ses yeux. Puis, de nouveau, il sourit :

— Voilà, commença-t-il, le petit Pierre est né, il y a neuf ans, dans la banlieue ouvrière. Ses parents n'étaient pas riches, mais ils étaient jeunes, enthousiastes, et ils s'aimaient très fort. Le père travaillait comme mécanicien dans un garage et ses patrons l'appréciaient beaucoup. La maman était vendeuse mais, dès que Pierre fut là, elle resta à la maison pour se consacrer à lui. Un gentil ménage heureux. Il grandissait et son père lui construisait des petites autos... On n'était pas riche, non, mais cela allait ; en économisant, on pouvait même s'offrir des vacances, on pouvait peu à peu meubler la maison, const.uire le décor d'un bonheur tranquille... Puis le petit Pierre alla à l'école. Il s'y montra particulièrement studieux, avide de savoir. Il délaissa ses autos pour se plonger dans les livres. Un peu étonnés d'abord, les jeunes parents découvraient qu'ils avaient un fils vraiment très intelligent, vraiment très studieux et qu'il pourrait, peut-être, devenir quelqu'un... Devenir quelqu'un !... un avocat, un ingénieur, un médecin ! Pourquoi pas ? Essayez d'imaginer, madame, ce que cela pouvait représenter pour eux... Ils caressaient ce rêve, oui ; puis ils jurèrent de tout faire pour qu'il puisse, un jour, devenir réalité... Ils remerciaient le

bon Dieu qui leur avait donné un tel fils ; et pour
lui, plus que jamais, sou par sou, ils économisèrent...

Il se tut un instant. Sylvie, bouche bée, l'écoutait.

— Un avenir plein de promesses, reprit le prêtre.
Mais les desseins de Dieu sont impénétrables... Il ne
faut pas essayer de comprendre. Dieu, n'est-ce pas,
sait ce qu'Il fait ! Il y a six mois...

» Pierre était à l'école. Une belle journée de printemps, toute ruisselante de soleil. Ses parents s'étaient
rendus en province et se hâtaient pour venir le prendre à la sortie des cours. Sans doute étaient-ils joyeux
à l'idée de revoir leur fils. Sans doute avaient-ils fait,
une fois de plus, en cours de route, des projets d'avenir... Puis un pneu éclate ; et dans l'instant, madame,
tous les projets sont détruits. De la vieille Citroën
tordue, on retira deux corps ensanglantés. Et quand
l'ambulance arriva, il était bien trop tard...

Sylvie, les yeux fixes, écoutait. Une belle journée
de printemps... Le moteur chante sa chanson. Les
oiseaux, dans le ciel, jouent à se poursuivre. Dans les
virages, les pneus gémissent. Les pneus fidèles, les
pneus solides, les pneus souples et dociles... Tu l'entends, Sylvie, le crissement des pneus ? Philippe
s'amuse à les faire gémir. En riant. Riait-il, le papa
de Pierre ? Riait-il parce qu'à côté de lui sa jeune
femme avait un peu peur ?...

— C'est affreux, dit Sylvie.

— Alors, il a fallu le dire au petit. Il n'a pas pleuré.
Il est devenu blanc comme un linge. Mais il a mordu
ses lèvres si fort, si fort que du sang a coulé de sa
bouche. Nous l'avons recueilli. Nous avons tout fait
pour le distraire, pour qu'il redevienne un enfant.
Nous n'avons pas réussi. Il ne se mêle jamais aux
autres. Il se tient seul, à l'écart. Il ne parle jamais
de ses parents. Une seule fois, il a demandé où était

sa maman. Nous l'avons conduit au cimetière. Il n'a
rien dit. Il n'a pas pleuré. Ç'a été tout. Il étudie ses
leçons, il fait ses devoirs, mais il ne vit pas vraiment.
Les médecins prétendent qu'il y a en lui comme un
ressort cassé, qu'il faudrait peut-être un autre choc
pour le rétablir... Hier, il a disparu. J'ai eu une peur
terrible qu'il ne fasse une bêtise. Cela est très rare
chez les enfants, mais il y a eu des cas... On ne peut
vivre avec un tel désespoir au cœur ! Tout à l'heure,
quand la police a téléphoné, j'ai respiré...

Un orphelin... Le rythme immuable des jours et
des nuits. Les longs couloirs sonores. Le dortoir avec
ses lits alignés... Il n'a pas pleuré, dit le prêtre. Non,
il n'a pas pleuré. Comme un homme, il a accumulé
en lui cette surhumaine souffrance, en silence, sans
comprendre. Il faisait ses devoirs, il étudiait ses leçons. Nous avons tout fait pour qu'il redevienne un
enfant, dit le prêtre. Oui. Les petits camarades, les
jeux dans la cour du pensionnat, les promenades deux
par deux, en rangs, dans les rues de la ville... Mais
que peut — pour cet enfant trop précoce, qui aimait
les livres ; pour cet enfant qui était heureux ; fruit
précieux brusquement arraché de la branche — que
peut cette fraternité dérisoire ?

— Monsieur l'abbé, demande tout à coup Sylvie,
connaissiez-vous sa mère ?

— Non... non, madame, pourquoi ?

Mais Sylvie ne répond pas. Elle demande encore.

— Vous ne l'avez jamais vue ?

— Non... c'est-à-dire...

Il s'agite, ouvre sa serviette et en retire une chemise en carton brun.

— J'ai ici le dossier de Pierre... Il y a, je crois, une
photo de ses parents...

Il cherche, remue des papiers.

— Ah ! en effet, la voilà... ils étaient bien jeunes,
n'est-ce pas ?... mais, mais...

L'abbé regarde Sylvie.

— Mais quoi, monsieur l'abbé ?

— Mais elle vous ressemble, ma parole ! C'est très
curieux... Voyez vous-même !...

Une photo d'amateur, déchirée, restaurée avec du
papier collant. On y voit un homme jeune qui sourit ;
qui, de son bras, entoure la taille d'une jeune femme.
Derrière, un paysage de forêt. Et cette jeune femme,
si elle n'avait pas ces longs cheveux épais sur les épaules, on pourrait croire, oui, que c'est Sylvie...

— Madame... dit le prêtre.

Sylvie hoche la tête :

— Non, monsieur l'abbé, je n'ai pas de sœur...
Simple coïncidence, mais qui explique...

Elle se tait. Elle sent qu'elle va pleurer. Elle fait
un effort, avale sa salive.

— Je vous ai dit qu'il était malade, très malade...
Une très forte fièvre... Par deux fois, il m'a appelé
maman...

C'était ça. C'était donc ça ! Dans son délire, il a
cru retrouver sa maman. Il s'est jeté sur elle. Il lui a
souri comme les petits enfants sourient à leur mère...
Cette ressemblance...

Bouleversé, le jeune abbé ne dit rien. Il regarde
Sylvie.

— Venez, dit-elle, venez le voir, il dort...

Lorsqu'ils revinrent dans le salon, Sylvie raconta
au prêtre comment elle avait trouvé le petit Pierre,
comme il s'était débattu entre les bras d'Alphonse
et comment la maladie avait eu raison de lui.

— Mais nous le sauverons, monsieur l'abbé !

Elle avait retrouvé son sourire.

— Ce que vous faites, dit le jeune prêtre, c'est bien !

— Bien ? mais je pense que c'est tout simplement normal, non ? Je ne craignais qu'une chose : c'est qu'on vienne me l'enlever avant qu'il ne soit complètement guéri !

— Non... puisque vous voulez bien le garder, madame, il sera beaucoup mieux ici qu'à l'infirmerie de l'orphelinat. Quant aux frais que cela...

Sylvie leva la main :

— Ne parlons pas de cela, monsieur l'abbé ! D'ailleurs le docteur Charpentier est un ami et il ne sera pas question d'honoraires...

— La radiographie, les médicaments...

Sylvie haussa les épaules :

— Bah ! laissez-moi faire ma B.A., monsieur l'abbé !

— Puis-je au moins vous aider ?

— Oh oui ! vous pouvez prier pour que cette pleurésie soit simple... pour qu'il vive !...

De nouveau, elle sentit sa gorge se contracter.

— Il vivra, madame, j'en suis sûr ! Il vivra grâce à vous et peut-être guérira-t-il, grâce à vous, de cette autre maladie, de ce mal invisible qui le ronge... Mon Dieu, quelle joie si cela se pouvait ! Je voudrais vous dire, madame...

Il hésita. Puis il sourit :

— ... vous savez, je ne suis pas très mondain. J'ai été un petit pauvre, un gosse des rues. Je n'ai pas l'art de m'exprimer comme un Dominicain ! N'empêche, je voudrais vous dire ce que je pense : vous êtes une chic fille !

Il souriait. Sylvie, spontanément, lui tendit la main. Comme à un ami. Parce qu'il avait ce regard-

là qu'ont les hommes ardents et purs. Ce regard
essentiel, simple et direct, de Manuele (1), de Jacques — de Philippe.

Pierre, Pierre Vincent... C'est un joli nom. Un enfant studieux, qui aime les livres. Cela se voit. Il a
l'air si grave, si sérieux pour son âge — avec, parfois,
un adorable sourire de petit garçon... Tout l'avenir
s'ouvrait devant lui. Puis ce fut l'accident brutal, stupide. Un voile noir brusquement tendu entre lui et
cet avenir, entre lui et la vie. On l'a enfermé dans cet
orphelinat. On a mis l'oiseau en cage. Il s'est enfui.
N'est-il pas normal que les oiseaux s'enfuient ?

Mais pour aller où ? Il sait que sa maman est
morte, puisqu'on l'a conduit au cimetière ; puisqu'il
a vu, entourée d'ifs, la pierre bleue, rectangulaire.
Pour aller où ? Le savait-il ? A neuf ans, se pose-t-on
des questions raisonnables ? Peut-être simplement a-
t-il voulu s'enfuir, sans plus.

Cette bouleversante ressemblance. Oui, et après ?
Il va guérir — je veux qu'il guérisse — et puis il retournera dans la cage. Tout seul. Que pensera-t-il ?
Que fera-t-il ? Il sera malheureux. Il regardera jouer
les autres. Avec, toujours, toujours, cette blessure vive
ouverte en lui. « Il faudrait peut-être un choc... » dit
l'abbé Brun. Mais quel choc ? Avec quoi la guérit-on,
l'âme des petits enfants ?

Sylvie soupira. Elle se sentait lourde d'une infinie
tristesse. Cette pluie qui ne cesse pas... Et Philippe
qui est là-bas à l'autre bout du monde... qui ne se
doute de rien...

---

(1) Voir « Sylvie et les Espagnols ».

Un faible gémissement la tira de sa torpeur et elle
se précipita. Le petit Pierre, dans son lit, avait les
yeux grands ouverts.

— Pierre, fit Sylvie, doucement.

Il ne bougea pas.

— Pierre..., tu te sens mieux, Pierre ?

Il ne bougea pas.

Il avait les yeux grands ouverts, immobiles, fixes.
Ses lèvres étaient entrouvertes. Surgie on ne sait d'où,
une mouche se posa sur son front, sur sa joue. Il n'eut
pas un geste. Il ne tressaillit même pas.

Alors Sylvie pensa qu'il était mort et elle chancela.

— Pierre ! hurla-t-elle, Pierre !

Elle se jeta sur lui. Elle le prit dans ses bras, le
serra à l'étouffer.

— Non, non ! je ne veux pas ! je ne veux pas !
mon chéri !

Comme une folle, elle embrassait ce visage, ce
front, ces joues. Comme une folle ; et elle pleurait.

— Tu me fais mal... pourquoi tu me fais mal ?

Elle le lâcha. Elle se redressa pour mieux le voir,
pour mieux l'entendre, pour être sûre... Il la regardait. Il souriait.

— Pourquoi tu me fais mal ?

Elle tomba à genoux à côté du lit. Il vivait ! Il
vit... Vous entendez ? Il vit !

Brisée de fatigue, elle pleurait nerveusement. Elle
pleurait et elle riait en même temps. Cet enfant inconnu, elle le savait, elle eût donné sa vie pour sauver la sienne. Peut-être parce qu'elle avait compris
que la jeune femme morte, qui souriait sur la photo,
qui lui ressemblait, lui avait transmis la mission de
protéger son fils...

*
**

— Je ne te dérange pas, Sylvie ?

— Penses-tu, Madeleine ! D'ailleurs, je t'attendais...

La femme du docteur Charpentier entrait, se débarrassait de son manteau de fourrure, disait tout de suite :

— Jacques m'a raconté... Ce pauvre gosse, c'est terrible, Sylvie ! Je peux le voir ?

— Bien sûr... Fais doucement, il dort... il dort tout le temps !

Devant le lit, Madeleine demeurait silencieuse. Dans la pénombre, son beau visage était pâle. Ses cheveux avaient des reflets d'or éteint. Elle joignit les mains :

— Mon Dieu, fit-elle, c'est terrible, oui...

Puis elle demeura un long moment silencieuse. A quoi songeait-elle ? A l'enfant qu'elle n'aurait jamais ? Au fils, peut-être, semblable à celui-ci, qu'elle aurait voulu bercer, consoler...

Il ne faut pas, Madeleine, penser à ces choses...

Elle soupira, se détourna.

— Viens, dit-elle, viens, Sylvie !

Alphonse, au salon, apporta le thé et les biscuits. Il trouvait cent prétextes pour rester au rez-de-chaussée, pour rôder en silence autour du lit, anxieux, tâchant de comprendre, de deviner ce qu'on disait. Sylvie n'était pas dupe, mais fermait les yeux... Au fond, n'était-ce pas lui, de ses mains robustes, qui avait cueilli le petit Pierre pleurant tout bas dans la nuit ?

— Cigarette ?

Sylvie tendait l'étui à Madeleine, se servait elle-même, faisait craquer l'allumette.

— Madeleine, dis-moi la vérité... Que pense Jacques ?

— Exactement ce qu'il te dit, Sylvie. Jacques, tu le connais, a l'habitude de regarder les choses en face et de les appeler par leur nom ! D'ailleurs, pourquoi te...

Elle s'interrompit, gênée.

Sylvie sourit doucement.

— Pourquoi me ménagerait-il ? acheva-t-elle. Tu as raison. Que suis-je pour ce gosse ? et que m'est-il ? Et pourtant, tu sais, c'est bizarre : il me semble que je l'ai toujours connu, qu'il est — comment dire ? — qu'il est un peu à moi... Il y a aussi cette coïncidence bizarre...

Madeleine leva la tête :

— Ah ! quelle coïncidence ?

Sylvie lui narra la visite de l'abbé Brun, ce qu'elle avait appris à propos de Pierre et de son enfance, et le choc qu'elle avait eu devant la photo.

— Curieux, dit Madeleine, cela est curieux, oui... La vie est plus extraordinaire, souvent, que les romans les plus extraordinaires... Et ainsi, tu as un peu l'impression d'être devenue sa maman ?

Sylvie, rêveuse, hocha la tête :

— Non... non, ce n'est pas tout à fait cela. Cet amour que je sens en moi pour lui, instinctivement je le freine, je le retiens, comme si je n'avais pas le droit de le lui donner...

— Oui... parce que cet amour-là, n'est-ce pas, quelque chose te dis que tu dois le garder intact pour les enfants que tu auras ?

Ce fut au tour de Sylvie d'être gênée. Intuitive, Madeleine disait vrai... Mais d'en parler devant elle, devant elle qui n'aurait pas d'enfant, répugnait à Syl-

vie. Elle ne répondit pas. Machinalement, elle joua
dans sa tasse avec la petite cuiller d'argent.

— Je te comprends, reprit Madeleine. Mais je crois
que tu te trompes. Dès qu'il s'agit d'enfants, une
femme est capable d'aimer mille fois, sans amoindrir
son pouvoir d'amour... Il est vrai que moi... je suis
mauvais juge !

Elle eut un triste petit sourire.

Sylvie, émue, lui prit la main.

— Madeleine, dit-elle, il y a Jacques...

— Oui, il y a Jacques. Il est merveilleux... Mais
lui aussi, malgré lui, il regarde les petits enfants. Tu
verras, tu comprendras plus tard. On se marie parce
qu'on s'aime. Puis on aspire à donner un sens à cet
amour, en même temps qu'à sa vie...

— Vivre l'un pour l'autre...

— Non, Sylvie. Tu es encore très jeune mariée, et
Philippe emplit ta vie. Tu vis pour lui, comme il vit
pour toi. Un jour viendra que vous serez si complètement, si intimement unis, que vous ne songerez plus
à vivre, comme tu dis, l'un pour l'autre. Parce qu'il
n'y aura plus ni toi ni lui, mais que vous serez un tout.
Alors vous sentirez, impérieux, ce besoin de vivre, ensemble, pour un petit enfant. Cela ne s'explique pas,
c'est ainsi... Tu ne désires pas avoir des enfants, Sylvie ?

— Si ! oh ! si, bien sûr... mais je n'y pense pas
encore beaucoup. Il me semble que... — comment
dire ? — que je n'ai pas encore en moi l'équilibre
nécessaire, ni assez de totale générosité...

— Parce que votre amour, à Philippe et à toi, est
encore jeune, préoccupé de lui-même... C'est bien normal ! Mais bientôt, tu verras, cet amour sera si évident, si confiant, si naturel, qu'il réclamera de s'in-
carner en un enfant...

Sylvie, pensive, réfléchissait :

— Je sais que tu as raison, dit-elle. Depuis que ce petit est ici, j'ai l'impression qu'un monde nouveau m'est révélé... Comme toutes les jeunes filles, j'ai rêvé d'avoir des enfants, bien sûr ! Mais plutôt, vaguement, comme à des jouets merveilleux : le bain à donner, la promenade dans le parc, le berceau tout frais, tout rose... Je souhaitais des enfants pour moi, de façon plutôt égoïste, si tu veux ! A présent que Pierre est là, il me semble par moments que mon cœur est devenu trop petit, qu'il va éclater... Il me vient des bouffées de tendresse si fortes qu'elles me font peur... Il n'est plus question de jouer ! il n'est même plus question de moi ; il est question de lui...

Madeleine souriait :

— Tu vois, disait-elle, tu vois bien !

Puis Sylvie se mit à rire :

— Quelle discussion ! fit-elle, on verra bien ! Cela regarde aussi un peu le bon Dieu, je crois ! En attendant, c'est Pierre qui compte ! On va le guérir, puis le gâter tant qu'on pourra !

— Pour ce qui est de le guérir, corrigea Madeleine, d'accord ! mais quant à le gâter... Crois-tu que ce soit bon ? Et après, quand il devra retourner dans cet orphelinat ?

— C'est vrai, pauvre gosse ! Tu vois que je ne suis pas mûre pour être mère de famille ! Heureusement que tu es là pour m'aider ! Car tu vas m'aider, n'est-ce pas ?

Madeleine la regarda :

— Tu veux bien, Sylvie ?

— Mais... évidemment !

— J'avais un peu peur de t'encombrer, de t'ennuyer... D'avoir l'air de me mêler, en somme, de ce qui ne me regarde pas !

Pauvre Madeleine ! Elle venait avec toute sa tendresse refoulée, tout son amour maternel inemployé ; elle venait l'apporter à Pierre, timidement, craintivement, et elle avait peur que Sylvie, jalouse, peut-être, ne la repousse !

— Tu es folle, Madeleine ? il n'est pas à moi, ce petit ! et puis même... Tu sais quoi ? nous serons deux à l'aimer, à essayer de lui redonner le goût de vivre !

— Oui, dit Madeleine, nous serons deux !

Brusquement, ses yeux s'illuminèrent de bonheur.

Plus tard, demeurée seule, Sylvie se laissa tomber dans un fauteuil. Elle était brisée de fatigue. Une douleur sourde lui broyait la nuque. Elle était troublée, aussi. Avoir des enfants... Avoir un enfant à elle... Oui, évidemment ! Jamais ne l'avait effleurée l'idée qu'elle n'en aurait pas. Parfois, elle en parlait avec Philippe, joyeusement, distraitement, comme d'une chose qui allait de soi... Ça me plairait, oui. Mais je dois reconnaître que je n'en sens pas encore le besoin impérieux... Il faut croire que je ne suis pas tout à fait mûre ! On verra bien... Mais Madeleine, elle, c'est terrible ! Je l'aime bien, Madeleine. Elle est douce, elle est gentille. Et sa joie à l'idée qu'elle va pouvoir s'occuper de Pierre ! Elle va sûrement s'y attacher et elle sera encore plus malheureuse quand elle devra se séparer de lui... Ces gosses, c'est extraordinaire ce qu'ils provoquent en nous. Tout à l'heure, quand j'ai cru qu'il était mort, j'ai senti que je devenais folle... Et pourtant, à la vérité, il ne m'est rien, ce petit ! Alors ? C'est peut-être parce qu'il croit

que je suis sa maman... Pauvre petit bout de chou !
D'un côté, une femme qui meurt d'envie d'avoir un
enfant et, de l'autre, un enfant qui n'a plus de maman... C'est bête. C'est navrant.

Sylvie bâille. Elle passe la main sur sa nuque, fait
la grimace. Ses paupières deviennent de plomb.

— Alphonse ! appelle-t-elle, tu veux être gentil, et
me préparer une aspirine ?... non : deux aspirines !

CHAPITRE IV

Le lendemain, Sylvie s'éveilla tard. Un jour maigre filtrait à travers les tentures closes.

Sylvie s'étira. Elle se sentait fatiguée encore et vaguement maussade. Elle se leva, s'approcha de la fenêtre, écarta le rideau. Il pleuvait. Il pleuvait toujours, désespérément. Le ciel était d'un gris sale. La camionnette du marchand de lait — une vieille Ford des temps héroïques, qui roulait encore par miracle — passa avec son habituel bruit de ferraille. Une lourde et tenace impression d'ennui suintait du paysage : de ces arbres dépouillés, au tronc gras de pluie ; de ce ciel d'apocalypse ; de l'asphalte luisant du boulevard, où les voitures laissaient des traces mates, parallèles, vite effacées...

Sylvie soupira. « Ben alors ! murmura-t-elle, c'est du joli... à croire que c'est le déluge ! Un temps à vous flanquer un solide cafard... S'agira de réagir, hein, ma petite vieille !... »

Elle prit une douche pour se remettre d'aplomb et, effectivement, se sentit beaucoup mieux. Neuf heures !

et Jacques qui va arriver... au galop, madame Gambier ! Elle s'habilla rapidement, se coiffa d'un coup de peigne et descendit.

Au bas de l'escalier, elle se heurta à Alphonse qui, au lieu de la saluer d'un large sourire comme à l'accoutumée, esquissa une sorte de grimace et tenta de filer à l'anglaise.

— Hé, là-bas... Bonjour, Alphonse ! Tu en fais une tête ! Quelque chose qui ne va pas ?

Alphonse, ainsi happé au vol, lui lança un bref regard et prit son air le plus navré et le plus niais.

— Heu... non, non, maâme ! moi préparer café bien chaud...

Et il fit, de nouveau, mine de s'esquiver vers la cuisine. Qu'est-ce qu'il manigançait, celui-là ?

— Alphonse !

— Vi, maâme ?

Elle se planta devant lui, du haut de son mètre soixante-cinq, et le regarda dans les yeux. Elle lui arrivait à peu près à hauteur de l'estomac !

— Tu te moques de moi, Alphonse ?

Il roula des yeux effarés.

— Oh ! non, maâme !

— Qu'est-ce que tu as, alors ?

Il se gratta vigoureusement le crâne, ce qui était chez lui le signe de la plus vive contrariété.

— Moi rien avoir, maâme ! Mais li...

Il montrait, de la main, la direction du living.

— ...li fâché ! li dire moi sale nègre ! moi beaucoup triste !

Il avait l'air absolument contrit ; pour un peu, il aurait pleuré ! « Il est guéri ! » pensa Sylvie. Et une bouffée de joie fut en elle. « Il est guéri, puisqu'il parle !... » Mais, en même temps, elle avait pitié

d'Alphonse, de ce brave Alphonse au cœur tendre et
qui ne méritait certes pas d'être traité de la sorte !

— Bah !... ne fais pas attention, Alphonse, c'est
un enfant, il ne sait pas ce qu'il dit ! Je m'en vais
voir ça !...

Il est guéri, il est guéri, ce sacré petit gredin !...
Elle s'élança vers le living.

— Alors, cria-t-elle, alors, on va mieux, monsieur,
à ce qu'il paraît ?

Mais, devant le lit, elle s'arrêta brusquement. Au
milieu des draps en désordre, le petit Pierre la regardait fixement. Il la regardait — et avec une telle
expression de colère, de désespoir, de haine presque,
que Sylvie, pétrifiée, demeura sans voix. Ce n'était
pas là un regard d'enfant, mais un cruel regard
d'homme traqué, révolté. Il était immobile, pâle,
tapi sur lui-même. Il haletait.

Sylvie, brutalement, eut la sensation qu'un gouffre,
entre elle et cet enfant, venait de s'ouvrir.

Elle tenta de sourire.

— Mais, dit-elle, mais, Pierre...

Un gouffre, oui. Un gouffre noir, vertigineux. Un
gouffre où, sans écho, tombent et meurent les paroles
qu'on prononce...

— Pierre...

Alors, il ouvrit la bouche, il respira très fort. Son
visage se crispa comme s'il avait mal. Puis il cria :

— Va-t'en ! va-t'en ! tu n'es pas ma maman !...

Un gouffre où résonne, comme un gong, cette
phrase déchirante jaillie de sa douleur...

Puis il retomba sur le lit. Il cacha son visage dans
ses mains. Il pleura tout haut, tout seul, éperdument,
à gros sanglots bruyants comme pleurent les petits
enfants.

Aller à lui, le prendre contre soi, le consoler, le bercer doucement...

Mais Sylvie n'osait pas. Tu n'es pas ma maman ! Pauvre, pauvre petit... Ta maman, elle, devant ta détresse, eût su les mots qu'il fallait dire, les gestes qu'il fallait faire...

Mais Sylvie ne savait pas.

— Pierre, dit-elle encore.

Et c'était, elle s'en rendait compte, comme si elle parlait à un mur.

C'est à ce moment que retentit la sonnerie de la porte d'entrée. « Jacques ! » pensa Sylvie. Elle s'élança pour accueillir le docteur Charpentier.

— Bonjour, Sylvie !... mais que se passe-t-il, mon petit ?

Elle avait des larmes dans les yeux. Le docteur Charpentier fronça les sourcils, brusquement inquiet :

— Il est... il n'est pas plus mal ?

— Non, Jacques ! au contraire, il est beaucoup mieux !... Ce n'est pas ça, non... mais il... il ne veut plus me voir... Viens d'abord au salon, je vais te dire...

Ils furent dans le salon. Sylvie raconta ce qui s'était passé, l'attitude farouche de Pierre et son propre désarroi.

Le docteur Charpentier l'écouta attentivement. Il avait allumé une cigarette ; distraitement, il la faisait tourner entre ses doigts. Quand Sylvie se tut, il demeura un instant sans répondre. Il réfléchissait. On voyait se creuser, entre ses sourcils, quatre rides verticales. Rôle difficile du médecin... Guérir les corps, oui. Mais on apprend à distinguer entre les maladies, à reconnaître les formes multiples du mal ;

on étudie, on suppute, on compare ; on choisit, dans
l'arsenal des médicaments, celui qui convient. Mais
guérir les âmes ? Et pourtant le corps souvent
demeure soumis à l'âme… « C'est le moral », dit-on.
Cela est vrai. Et là, pratiquement, il n'y a pas de
recettes. Nulle chimie ne peut distiller un remède
pour les âmes, nulle équation n'en peut définir le
poids, la forme ni la taille. Il y a une science qui se
nomme psychologie et qui, dans une certaine mesure,
s'y essaie. Mais combien vagues, empiriques, à la fron-
tière de l'erreur, sont ses leçons ! Guérir les âmes…
Là, le médecin est avant tout un homme… Il s'agit
d'abord de comprendre ; de déceler, sous les appa-
rences, ce qui est vrai, ce qui est bien et ce qui est
mauvais. Il s'agit d'être intelligent, d'être très bon,
très patient — sans quoi le problème se complique
davantage encore et les ténèbres qui le recouvrent
s'épaississent. C'est fragile, une âme !

Cet enfant… Cette soudaine révolte… Mais l'amour
de sa mère — le seul remède évident, immédiat —
nul ne pouvait le lui rendre. Pourtant, il fallait le
guérir. Il fallait, coûte que coûte, cicatriser la blessure ; discipliner cette hargne avant qu'elle ne jette
en lui des racines tenaces et ne dégénère en incurable
violence. Il fallait, à ce bouillonnement désordonné,
imposer une loi, une force contre quoi il finirait par
se briser. Puis, plus tard, rapprendre à cet enfant,
avec douceur, avec tendresse, que la vie demeure
bonne…

Le docteur Charpentier soupira. « Il va me détes-
ter, peut-être…, pensa-t-il, tant pis ! Ce n'est pas de
moi qu'il s'agit, mais de lui… »

— Je crois, dit-il, que nous devons avant tout lui
faire comprendre que nous sommes plus forts que
lui — et que les enfants doivent obéir. Je vais peut-

être te paraître dur, Sylvie, mais il faut voir au delà
du présent. Tu me fais confiance ?

— Bien sûr, Jacques !

— Bon ! — il se leva, éteignit sa cigarette — bon...
allons-y donc, dans la cage au fauve !...

Lorsqu'ils entrèrent, l'enfant eut un bref regard à
l'adresse du docteur Charpentier, puis, ostensible-
ment, il lui tourna le dos et demeura ainsi, immobile,
renfrogné, le nez collé au mur.

Jacques hocha la tête et fit un clin d'œil à Sylvie.
Il se pencha sur Pierre et lui toucha l'épaule :

— Ecoute, petit... dit-il.

Pas de réponse.

Alors le docteur, à deux mains, saisit l'enfant aux
épaules et doucement, mais fermement, l'obligea à
montrer son visage. Pierre tenta de se débattre ; de
nouveau la colère lui empourpra les joues.

Jacques éleva la voix :

— Tu perds ton temps, dit-il, je suis plus fort que
toi. Je veux que tu m'écoutes et tu m'écouteras. Je
te préviens tout de suite que je n'hésiterai pas, s'il
le faut, à te donner une solide fessée !

Il avait un ton si tranquille, si décidé, que l'enfant
cessa de se débattre et le regarda avec une sorte
d'étonnement.

— Tu as bien entendu ? reprit Jacques sans des-
serrer son étreinte ; je préfère honnêtement te prévenir... Je désire que nous soyons amis, mais si tu
m'obliges à employer les grands moyens, je te répète
que je n'hésiterai pas... Nous sommes d'accord ?

Dans les yeux du petit Pierre, une hésitation passa.
Visiblement, il essayait de comprendre. Visiblement
aussi, cette voix d'homme, ce langage d'homme agis-

sait sur lui. Puis brusquement il baissa les yeux,
cessa de résister.

— Oui, murmura-t-il.

Aussitôt Jacques le lâcha et s'assit familièrement à
côté de lui sur le lit.

— Tu es un garçon intelligent ! dit-il, je le pensais
bien... Tu vois, Pierre, nous savons que tu as du
chagrin, un très gros chagrin... L'abbé Brun nous a
tout raconté...

A ce nom, l'enfant tressaillit :

— Je ne veux pas retourner là-bas ! dit-il.

Jacques haussa les épaules :

— Qui te parle de retourner là-bas ? Il est méchant, l'abbé Brun ?

— Non... mais je ne veux pas retourner là-bas...

— Il n'en est pas question, mon garçon ! Tu as été
malade, très malade ; tu l'es d'ailleurs encore et tu
resteras ici. A ce propos, il faut que je te dise quelque chose... Quand tu t'es sauvé de l'orphe... du pensionnat, tu es venu échouer ici, en pleine nuit. Madame Gambier t'a trouvé ; elle t'a pris chez elle ; elle
t'a soigné ; elle a eu à cause de toi — et elle continue d'avoir encore — un tas d'ennuis... Elle aurait
tout aussi bien pu te remettre à la police et tu étais
alors dans de jolis draps, hein ? Au lieu de ça, tu
es ici dans un bon lit, devant un bon feu, et tout
le monde se coupe en quatre pour que tu sois bien,
pour qu'il ne te manque rien... Alors tu n'as pas le
droit d'être grossier, tu comprends ? tu n'as pas le
droit de dire des méchancetés à Alphonse ni de faire
de la peine à madame Gambier... Sans eux, tu
serais peut-être mort — et sûrement, à l'heure qu'il
est, tout seul et abandonné de tous dans un hôpital...
Tu comprends ?

Pierre, les yeux grands ouverts, buvait littéralement les paroles de Jacques.

— Tu comprends ?

— Oui...

— Bon... Cela dit, parlons de toi. Nous savons que
tu as perdu ta maman et ton papa, et c'est un grand
malheur. Mais il y a sur la terre beaucoup de petits
garçons comme toi. Etre méchant, ce sont là des manières de sale gosse... Toi, tu es presque un homme
— et tu dois te conduire en homme. Tu as cru que
madame Gambier était ta maman... Quand on a de
la fièvre, on est un peu étourdi, on ne sait plus très
bien ce que l'on fait, ce que l'on voit, ce que l'on
dit... Mais à présent tu n'as plus de fièvre et tu sais
bien que ta maman, qui est partie très loin, ne reviendra pas. Mais tu sais aussi que du haut du ciel, elle
te voit... Veux-tu qu'elle ait du chagrin à cause de
toi ?

Subjugué, le petit Pierre hocha la tête.

— Non, dit-il.

— Non, n'est-ce pas ? Alors tu vas être sage, tu vas
te laisser soigner comme un grand garçon raisonnable
que tu es, et surtout, tu vas te conduire poliment, pour
que ta maman — qui te voit, ne l'oublie pas ! — n'ait
pas honte de toi... Promis ?

L'enfant ne répondit pas tout de suite. On voyait
qu'il réfléchissait, qu'il faisait un effort. Il regarda
Sylvie. Il regarda autour de lui et ses yeux, brusquement, s'emplirent de larmes brillantes. Un long frisson
le secoua. Puis, de nouveau, il regarda Sylvie. Et elle,
elle était si émue qu'elle pleurait aussi, silencieusement !

— Pierre ! dit-elle.

Il tendit les bras et elle courut vers lui.

— Pierre, mon petit !

Elle le tint contre elle. Elle sentait battre son cœur.
« Un oiseau, pensa-t-elle, un pauvre petit oiseau... »
Elle était bouleversée. Alors, il enfouit son visage
dans le cou de Sylvie et tout bas, dans un souffle, il
murmura :

— Pardon...

Le docteur Charpentier, qui sentait l'émotion le
gagner à son tour, se leva et affecta de rire.

— Parfait ! dit-il ; nous allons être des amis, je
crois !... Mais si nous en venions aux choses sérieuses,
hein ?

— Oui, fit Sylvie.

Elle se leva ; de la main remit de l'ordre dans ses
cheveux.

— Ce lascar, reprit Jacques, n'a plus l'air fort malade, mais nous allons tout de même voir ça de plus
près... Couche-toi, mon garçon !

Pierre, docilement, se coucha et se prêta à l'auscul-
tation. La température était tombée à 37,6.

— Ça m'a tout l'air d'être en voie de liquidation !
fit Jacques... Encore quelques jours et il n'y paraîtra
plus. Hé, mais tu es costaud, mon bonhomme ! Par
acquit de conscience, nous allons cependant prendre
une radio... Quelle heure est-il ?... onze heures...
bon, je passe vous prendre vers trois heures et on file
chez le radiologue, d'accord ?

— D'accord, fit Sylvie.

— On l'emballera dans une couverture et il ne ris-
quera rien ! De plus, ça lui fera une petite promenade...

— On pourrait peut-être aussi, dit Sylvie, en revenant, passer au magasin de jouets de l'avenue Joffre,
tu sais où je veux dire, Jacques ?

Le petit Pierre tendit l'oreille et son regard s'éclaira.

— Quel magasin ? questionna-t-il.

Sylvie se mit à rire :

— Voyez-vous ça, ce curieux ! Tu as envie d'un jouet ?

— Oui, dit-il, oui ! une auto de pompiers ! je l'avais demandée à saint Nicolas, mais il m'a oublié… Une auto rouge, avec une échelle… Oh ! oui…

Il la voyait déjà, son auto ! Il joignait les mains avec ferveur. Il était redevenu un petit garçon de neuf ans…

Il n'en croyait toujours pas ses yeux. Il avait posé l'auto sur le lit, devant lui. Il la contemplait avec extase. Il faut dire que c'était une auto extraordinaire : elle était si grande qu'il avait besoin de ses deux mains pour la porter ; elle fonctionnait avec une pile, si bien qu'il n'était même pas nécessaire de la remonter. Elle avait de vrais phares qui s'allumaient ; un vrai volant qui actionnait les roues munies de vrais pneus en caoutchouc ; une vraie échelle mobile qu'on pouvait manœuvrer en tournant une manivelle — et surtout, merveille des merveilles : on versait de l'eau dans la citerne et, en poussant sur un levier, la lance d'arrosage rejetait un vrai jet d'eau ! Vous vous rendez compte ?…

— Tu es content, Pierre ?

— Oh ! oui, tante Sylvie !

Il avait trouvé ça tout seul : « tante Sylvie », et c'était gentil.

— …et c'est pour moi… toujours ?

— Mais oui, pour toi toujours !

Non, il n'en revenait pas, il osait à peine y toucher. La radio avait été négative : un simple voile pleural résiduel et quelques foyers pulmonaires en voie de résolution. Il fallait continuer le traitement, mais Pierre était bel et bien sauvé. Lorsque le docteur Charpentier, au retour, avait arrêté la voiture devant le magasin de jouets, l'enfant avait eu l'air si absolument émerveillé que Sylvie s'était sentie, au centuple, payée de ses peines...

— Tante Sylvie, je pourrai mettre de l'eau...

— Oui, mon chéri, mais pas ici, tu mouillerais tout... Demain, si tu veux, nous irons jouer tous les deux dans la salle de bains !

— Et je pourrai mettre de l'eau ?

— Mais oui !

Il devait se demander s'il ne rêvait pas, s'il n'était pas encore victime de la fièvre...

C'est ainsi que Madeleine les trouva, en conversation animée où il était question de pompiers, d'incendies, de pompes, d'échelles et de gens qui sautent par les fenêtres pour atterrir sur des couvertures tendues...

— Oh ! oh ! s'exclama-t-elle, Jacques m'avait bien dit que cela allait mieux, mais il me semble que cela va même tout à fait bien. Bonjour, Sylvie !... et bonjour, Pierrot !

Il la regarda. Puis, presque aussitôt, il lui sourit. Il tendit sa petite main.

— Bonjour, madame !

— Non, Pierre, intervint Sylvie, tu peux dire : tante Madeleine. Elle t'aime bien, tu sais !

— Tante Madeleine... répéta-t-il.

Et il ne cessait pas de regarder Madeleine.

— Tu es belle ! dit-il soudain.

Etait-il séduit par les cheveux blonds de Madeleine ? par son teint si frais ? par cette douceur qui émanait d'elle ?

Madeleine, un peu gênée, eut un petit rire.

— Tu trouves ? dit-elle, tant mieux ! J'ai une surprise pour toi !... ferme les yeux !

Il ferma les yeux. Il les rouvrit pour découvrir, posée sur le lit à côté de l'auto rouge, une panoplie de pompier : un uniforme avec le casque, les bottes, le ceinturon, le sifflet, la hache !...

Sa surprise fut telle qu'il demeura d'abord sans voix. Il écarquillait les yeux, ébloui.

— Ça te plaît ? demanda Madeleine.

Pour toute réponse, il prit brusquement entre les siennes la main de Madeleine et la porta à ses lèvres.

— Oui, dit-il, oh ! oui...

Il se tut. Il referma les yeux. Il serrait très fort la main de Madeleine. A quoi pensait-il ?

— Tante Madeleine... murmura-t-il, tu es douce, tu sens bon ! tu...

Il hésita. Il cherchait les mots. Pour un petit garçon, les choses sont difficiles à comprendre, plus difficiles encore à dire...

— ...tu es comme le soleil ! conclut-il.

Madeleine, interdite, regarda Sylvie. Tu es comme le soleil. Que voulait-il exprimer ? Comme le soleil... le soleil qui réchauffe, qui protège, qui nourrit les jeunes plantes. Le soleil qui est source de vie... Sentait-il, instinctivement, cet enfant, ce besoin d'amour et de tendresse ; ce terrible élan contenu qui sommeillait en Madeleine ; cette tiédeur de nid où il ferait bon oublier ses chagrins ?... Inconsciemment, devinait-il cela ?

gestes de l'enfance, dé-
touchait avec une joie
nt, les bottes vernies, la

de, des mil.
e ?... Leur
r beau sou-
it. Lui qui
l'abandon-
dimanche,
des mots
honte de
on sait
dans sa
Il nous
titude.
merci.
titude
doit
le sa
cette
etits
un
rci
ur
ou

e hall, Madeleine soupirait.

ce qui sera affreux, ce sera de
après...

ait Sylvie, peut-être qu'il sera
Jacques lui a parlé, ce matin, il
Exactement comme s'il avait repris

quel enfant ne serait pas ravi devant
Est-il heureux ou joyeux ? Attendons,
.. Un foyer, Sylvie, un foyer... c'est de
esoin !

aire, Madeleine ?

e ne répondait pas. Elle tournait la clenche,
porte.

— Tu veux que j'appelle un taxi ?

— Penses-tu ! un peu de marche me fera du bien...
pour ma ligne ! A demain, Sylvie !...

Elle s'en allait.

Un foyer... Evidemment, elle a raison, Madeleine.
Ici, il est comme en vacances ; il oublie... Mais toutes
les vacances ont une fin. Il faudra qu'il retourne là-
bas. Les mornes promenades dans les rues de la ville,
deux par deux... les dortoirs silencieux et froids... ce
vide, de nouveau, autour de lui... Qu'y faire, Madeleine ? Un orphelin... Ce mot livide, qui a un goût de

deuil et de larmes... Il y a, de par le mor
liers d'orphelins... Qu'y faire, Madelein
donner un beau jouet pour voir fleurir leu
rire... « Tu es comme le soleil... » a-t-il d
a tant besoin de soleil ! Bien sûr, on ne
nera pas, on ira le voir. On ira le voir le
parfois ; on lui apportera des chocolats et
qui ne veulent rien dire. On aura un peu
les prononcer, parce qu'on saura, parce qu
déjà que les mots sont inutiles. On ira le voir
cage ; on lui fera la charité d'un dimanche.
sourira tristement. Nous aurons droit à sa gr
— Dis bien merci à tante Sylvie ! Il dira bien
C'est affreux ! C'est révoltant. Parce que la gra
n'est pas un sentiment d'enfant. Un enfant qui
dire merci parce que quelqu'un lui fait charité
tendresse ? Révoltant, oui. Mais elle lui est due,
tendresse, de droit ! Ils sont mis au monde, les p
enfants, pour qu'on les aime ; non pour mendier
peu d'amour de remplacement. Non pour dire me
bien poliment, à la grille de l'orphelinat, dans le
uniforme de gros drap bleu. Non pour sourire avec
leur petite bouche qui tremble, leur petit cœur lourd
— leurs yeux brûlés à jamais d'une éternelle tristesse...

Lui qui a tant besoin de soleil, il agitera sa petite
main pour dire au revoir. Puis la voiture disparaîtra.
Puis la grille, la grille noire et froide, se refermera.

L'abbé Brun n'y peut rien. Madeleine n'y peut
rien...

De brusques éclats de voix tirèrent Sylvie de ses
pensées. Elle se dirigea vers le living. Alphonse, coiffé
du casque beaucoup trop petit pour lui, sérieux comme

un pape, la hache minuscule sur l'épaule, marchait de long en large au pas militaire...

Assis sur son lit, le petit Pierre, non moins sérieux, commandait l'exercice.

— Une, deux... une, deux... une, deux... par file à gauche, marche !...

Alphonse, imperturbable, l'air martial, tournait à gauche.

Sylvie se retira sur la pointe des pieds.

CHAPITRE V

Le lendemain, le docteur Charpentier déclara avec certitude que le petit Pierre était hors de danger. D'ailleurs, prompt à récupérer comme tous les enfants, celui-ci n'avait plus qu'une idée : quitter son lit.

— Je peux, tante Sylvie ?

— Tu te sens assez fort ?

— Oh ! oui, regarde...

Il se laissait glisser à bas du lit, mais ses jambes encore faibles le trahissaient et il devait se raccrocher aux draps.

Sylvie riait.

— Je vois, en effet ! Tu es encore en coton, mon garçon. Mais puisque le docteur a donné la permission... je te laisse jouer une heure, mais calmement, s'il te plaît — et puis au dodo !

Ravi, il s'asseyait par terre et entreprenait de s'équiper : le fameux casque, les bottes, le ceinturon... Comme, pour tout vêtement, il n'avait que la veste de pyjama de Gambier, il ressemblait vaguement à un jeune Romain en tenue de carnaval. Sylvie se pinçait les lèvres, effaçait son sourire :

— Tu es un magnifique pompier !

Mais il n'était pas tout à fait dupe. Il levait vers Sylvie des yeux méfiants, encore cernés d'un long trait bleuâtre.

— Ah ! oui ?... tu ne te moques pas de moi ?

— En voilà une idée ! Je t'assure que tu es magnifique... Demande à Alphonse plutôt...

Alphonse découvrait ses dents éblouissantes :

— Toi beau ! disait-il.

Le plus curieux c'est qu'il paraissait sincère, lui ! Mais s'il manquait quelque chose à Alphonse, c'était bien le sens du ridicule...

Le petit Pierre, rassuré, mettait en marche l'auto rouge. Un instant plus tard, complètement accaparé par le jeu, il ne prêtait plus aucune attention à Sylvie ni à Alphonse.

Le temps demeurait maussade. Il avait cessé de pleuvoir, mais le ciel restait d'un gris sale qui annonçait la neige. Sylvie, qui depuis plusieurs jours n'avait plus mis le nez dehors, avait un peu l'impression de vivre, comme Jules, dans un bocal... Ledit Jules, au demeurant, insensible aux péripéties du monde extérieur, continuait d'ouvrir et de refermer la bouche en cadence ; ne consentant à se déplacer, de temps à autre, que pour venir à la surface de l'eau happer une miette de pain... « Ce pauvre vieux Jules, pensa Sylvie, je le néglige, ces jours-ci ! Quelle vie, tout de même, ces poissons... on se demande comment ils ne périssent pas d'ennui !... Hé ! Jules, ça va ?... » Du doigt, elle heurta la paroi de l'aquarium mais Jules, superbe d'indifférence, ne daigna même pas agiter la nageoire.

Sylvie bâilla. On a beau dire, les émotions, ça vous brise... Il va sûrement neiger. C'est joli, la neige... Neige-t-il à Détroit ? il sera ravi, Philippe, lui qui a horreur du froid ! Moi, j'aime l'hiver. On a l'impression de vivre dans un monde irréel. Les passants se hâtent dans les rues, comme s'ils couraient à la poursuite de leur nez rouge... Tout est blanc : les rues, les arbres, les haies et les toits des maisons. On allume un feu. On regarde par la fenêtre tomber les flocons. Ils se précipitent du ciel à toute vitesse, pareils à des petits grains noirs et serrés. Puis ils ralentissent leur course. Ils deviennent plus gros, plus blancs, semblables à des plumes légères. Ils tourbillonnent, dansent, hésitent, puis se laissent glisser sur le sol. Et les enfants, tête en l'air, bouche ouverte, s'efforcent de les happer. D'autres font des bonshommes de neige. D'autres s'élancent, sur les trottoirs, en longues glissades vertigineuses — et ils poussent des cris de joie. Les enfants...

Regarde-le, Sylvie... Lui, il joue sur le tapis. Il joue gravement, sérieusement. Regarde comme il est chétif ! Ses petites jambes maigres, ce cou si frêle, ce visage étroit... Il a failli mourir. On a envie de le dorloter, de le chérir, de le fortifier — et d'en faire un homme ! Il a besoin de viande, de fruits, de bonne soupe bien épaisse... Besoin de vêtements chauds... Besoin, aux vacances prochaines, d'aller s'ébattre au bord de la mer, pour s'y laver les poumons, pour s'y faire des muscles... Besoin de soleil, Sylvie !

C'est joli, la neige...

Toi, quand tu rentrais de l'école, les joues rouges, affamée, tu trouvais la table dressée, le chocolat qui fumait dans les tasses et le pain frais. Le poêle ron-

flait joyeusement. Tu faisais tes devoirs sur la table
ronde de la salle à manger. Puis tu allais jouer dans
le jardin. « Sylvie, mets ton écharpe ! » Car tu avais,
bien entendu, toute une collection d'écharpes, de pull-
overs, de bérets de bonne laine douce et chaude, que
ta maman tricotait elle-même. Puis tu allais au lit,
et ton lit était tiède et douillet. Ta chambre sentait
la lavande et d'en bas montait la bonne odeur du
café... Chaleur de ton enfance, Sylvie... Chaleur dans
ton cœur ; chaleur de ce lit, de cette laine épaisse,
de ce poêle... Chaleur de ce vigilant amour qui veil-
lait sur ton sommeil.

Et lui ? Le réfectoire, le dortoir, les pied mouillés
qui ont froid... Cette solitude glacée...

Regarde-le... Il faudra qu'il retourne là-bas, cet
oiseau fragile, dans sa cage. Malheureux ? oh ! il y a
sans doute des orphelins qui ne sont pas malheureux.
Il y en a qui n'ont jamais rien connu d'autre. Il y en
a qui ne se posent pas de questions. On leur donne à
manger. On leur donne de quoi se vêtir. On fait ce
qu'on peut, quoi ! Il fait ce qu'il peut, l'abbé Brun...

Mais lui, cet enfant aux yeux tristes, qui joue gravement sur le tapis ? — tu le sais bien, Sylvie, qu'il sera
malheureux !...

L'abbé Brun vint vers la fin de l'après-midi. Madeleine et Sylvie, assises dans le living, bavardaient avec
Pierre qui avait regagné son lit. La vue de l'abbé
Brun l'épouvanta. Persuadé que le prêtre venait le
chercher pour le ramener à l'orphelinat, il devint
blême comme un linge et fondit en larmes. Il fallut
dix minutes pour l'apaiser et le convaincre qu'il n'en

était rien. Néanmoins, peu rassuré, il se laissa glisser
à bas du lit et alla se réfugier sur les genoux de Madeleine. Chose curieuse, d'ailleurs, si ses rapports avec
Sylvie étaient devenus absolument cordiaux, ils de-
meuraient en quelque sorte sur le plan de la cama-
raderie affectueuse, tandis qu'instinctivement, chaque
fois qu'il le pouvait, c'est auprès de Madeleine qu'il
s'abandonnait et se laissait aller à la tendresse. Et cela
naturellement, comme s'il comprenait que Sylvie,
jeune, tout emplie de son amour pour Philippe, ne
pouvait lui donner qu'un morceau d'elle-même, alors
que Madeleine — la douce, la tiède Madeleine — lui
était offerte sans réserve...

Le jeune abbé, vaguement intimidé devant les deux
femmes, buvait à petits coups le café qu'Alphonse
venait d'apporter. Il n'avait rien du prêtre mondain.
On l'imaginait plutôt courant les bois à la tête d'une
troupe de scouts — ou prêtre-ouvrier, selon l'image
qu'en a tracée Gilbert Cesbron. Sa soutane luisait par
endroits. Ses énormes souliers noirs, à tige, étaient
maculés de boue. Il s'en aperçut, et des traces qu'ils
laissaient sur le tapis...

— Seigneur ! fit-il, me voici occupé à tout salir !
Excusez-moi... c'est un défaut de naissance ; quand
j'étais gosse, déjà, ma mère m'obligeait à me déchaus-
ser dès le seuil de la maison !

Sylvie rit :
— Ne vous excusez pas, monsieur l'abbé ! Et surtout, gardez vos chaussures ! Mon mari dit que les
tapis sont faits pour être salis — et je vous prie de
croire qu'il ne les ménage pas !

— Votre mari... dit l'abbé, je vous demande pardon, mais ce n'est pas lui, je suppose, cet aviateur
dont les journaux parlent de temps à autre ?

— Mais si !

Son visage exprima une joyeuse surprise.

— Mais alors... vous êtes Sylvie !

— Mais oui.

Il la regardait, du coup, avec un soudain intérêt. Il hocha la tête.

— C'est magnifique ! dit-il.

— Qu'est-ce qui est magnifique ?

— Mais tout ! Je vous connais, tous les deux !... Un moment j'ai voulu moi aussi être pilote — c'est un métier passionnant, un métier où l'on s'engage tout entier, où l'on risque quelque chose... Un métier d'homme, quoi ! Et puis... — il hésita, sourit — et puis le bon Dieu en a décidé autrement... Mais j'ai gardé le goût de ces choses, je lis parfois des revues d'aviation... Alors, n'est-ce pas, vous pensez, j'ai déjà entendu parler du commandant Gambier !... Et de Sylvie... je veux dire : de vous, madame ! Encore tout récemment, d'ailleurs, à propos de cette étonnante aventure en Espagne (1) Oh ! mais je comprends à présent...

— Vous comprenez ?...

— Mais oui, que vous ayez aussi spontanément, aussi généreusement recueilli Pierre ; que vous preniez ainsi soin de lui... Maintenant que je sais qui vous êtes, ça ne m'étonne plus !

Sylvie, embarrassée, ne savait que répondre. Il y eut un petit silence. Madeleine souriait gentiment ; approuvait, de la tête, les paroles de l'abbé...

— Dis, tante Sylvie...

C'était Pierre. Ses yeux exprimaient une intense curiosité incrédule — et cette curiosité le décidait à quitter son prudent mutisme.

— Oui, mon chéri ?

— C'est vrai, tante Sylvie ?...

_____

(1) Voir « Sylvie et les Espagnols ».

— Mais... quoi ?

— Tout ça !... que tu es mariée avec un aviateur ?

Il n'avait jamais entendu parler de Philippe. Il tombait de la lune !

— Mais oui, bien sûr !

— Un... un aviateur ? un vrai aviateur ?

Sylvie rit :

— Mais oui !

Le petit la contemplait avec stupeur. Bouche bée, il fronçait légèrement les sourcils. Il avait l'air de se demander si on se moquait de lui...

— ...un aviateur avec un uniforme ?... et qui conduit les avions ?...

— Puisque je te le dis !

Sylvie riait toujours, se levait :

— Attends, tu vas voir !

Elle sortait un instant, revenait avec une grande photo de Philippe qui le représentait, pendant la guerre, en tenue de combat, devant son Spitfire.

Muet de saisissement, l'enfant regardait la photo ; la retournait comme pour vérifier qu'elle n'était pas truquée ; écarquillait les yeux.

— Mince alors !... et où il est ?

— Il est très loin, en Amérique... mais il va revenir bientôt, dans trois jours ; tu le verras !

— C'est vrai ?

— Mais enfin, oui !

Il n'en revenait pas. Un aviateur, vous vous rendez compte ? Un type sensationnel, capable de faire des loopings, des tonneaux, des chandelles... Capable d'abattre en flammes des monceaux d'avions ennemis... Capable de foncer, dans le hurlement des moteurs, dans le crépitement vengeur des mitrailleuses, à travers les barrages de la D. C. A.... Un aviateur ! c'est encore autre chose qu'un pompier, ça, non ?

— Et tu ne sais pas encore tout ! fit Madeleine.

— Ah ?

— Non... tante Sylvie, avant de se marier, tu sais ce qu'elle faisait ?

— Non...

— Elle était hôtesse de l'air ! Elle allait aussi dans les avions... Elle voyageait partout dans le monde : en Allemagne, en Angleterre, en Afrique — même en Chine !

De nouveau, Pierre regarda Sylvie. Exactement comme s'il la voyait pour la première fois. Exactement de cet air-là que vous auriez, sans doute, pour regarder votre professeur de latin si vous appreniez, brusquement, qu'elle est championne de catch, recordwoman de saut à la perche ou femme-serpent...

A leur tour, devant un tel ahurissement, Madeleine et l'abbé Brun éclatèrent de rire.

— Pauvre Pierre ! dit l'abbé, on t'en donne, hein, des émotions ? Avoue que tu as de la chance d'être ici !

— Oh ! oui, convint le petit.

— Tu en auras, reprit l'abbé, des choses à raconter à tes camarades, quand tu reviendras chez nous !

L'enfant tressaillit violemment. Il respira un grand coup, noua ses bras autour du cou de Madeleine.

— Non, fit-il, non... je ne veux pas retourner là-bas !

Il s'était mis à trembler comme une feuille.

— Sois raisonnable, Pierre... Tu sais bien que tu ne peux pas rester toujours ici... Tu es fâché contre moi ?

Il ne répondit pas. Il se cramponnait à Madeleine et Madeleine, doucement, lui caressait les cheveux.

— Tu es fâché, Pierre ?

— Réponds, mon chéri, fit Madeleine.

Sans regarder le prêtre, il dit d'une voix sourde :

— Non !

— Alors quelqu'un a été méchant avec toi ?

— Non !

— Tu veux changer de classe ?

— Non !

— C'est quoi, alors ? Tu peux me le dire, tu sais...
On est copains tous les deux, hein ?

— Oui, mais...

Il se retourna, fit face, regarda l'abbé bien droit
dans les yeux.

— Je vous aime bien, monsieur l'abbé... mais je
ne veux pas, je ne veux pas retourner là-bas !

Il y avait dans son regard une si farouche détermi-
nation, une telle panique, aussi, que Sylvie intervint.
Elle adressa un signe d'intelligence au jeune prêtre.

— Dans ce cas, dit-elle, n'en parlons plus ! D'ailleurs vous savez, monsieur l'abbé, il est encore fragile ce grand garçon. Il va rester avec nous... Encore
longtemps... Je suis bien sûre, d'ailleurs, que le commandant Gambier aura des tas d'histoires à lui raconter...

L'enfant tourna vers Sylvie un regard reconnais-
sant. Il eut un faible sourire.

— Bon ! fit l'abbé, c'est parfait, alors ! Mais tu
veux bien, je suppose, que je vienne de temps à autre
te dire bonjour ?

— Mais pas pour me reprendre ?

— Puisqu'on te dit qu'on n'en parle plus ! D'accord ?

— Oui, monsieur l'abbé...

Mais cette idée, visiblement, ne lui plaisait qu'à
demi ; il se méfiait.

Et c'est avec un soupir de soulagement qu'il tendit
à l'abbé Brun sa petite main lorsque le prêtre se retira.

— Tante Sylvie ?

— Oui, Pierre...

— Tu as encore des photos de ton mari ?

— Oui, mon chéri...

Sylvie allait chercher les albums. Il regardait, émerveillé ; tournait lentement les pages. Il découvrait Sylvie en uniforme d'hôtesse de l'air et poussait un cri de joie.

Madeleine, rêveuse, les yeux dans le vague, laissait entre ses doigts se consumer sa cigarette.

— Madeleine, demanda Sylvie, à quoi penses-tu ?

Madeleine sursauta.

— A rien, dit-elle, à rien, je t'assure...

Le lendemain, le surlendemain passèrent doucement. Sylvie, qui avait pu dormir tout son soûl, avait retrouvé son habituel dynamisme. Et Philippe allait revenir ! A cette idée, une joie impatiente montait en elle. Et quelle tête il va faire, ce Phil chéri, en découvrant cet oisillon installé dans notre nid ! A propos d'oisillon, tout guéri qu'il est, son moral, dirait-on, continue de traîner un peu la patte... Seigneur, que c'est difficile à comprendre, les enfants ! Sans doute faut-il être une maman, pour deviner, sentir ce perpétuel secret... Etrange petit Pierre ! Il joue avec son auto, avec son uniforme de pompier — et il semble être parfaitement heureux. Alphonse se met à quatre pattes, il grimpe sur son dos — et ils rient ensemble comme des fous, si bien qu'on ne sait pas qui est le plus gosse des deux. Ou bien il regarde des albums de photos, s'émerveille devant l'uniforme de Philippe et m'écoute, les yeux ronds, lui conter des souvenirs d'aviation. Oui... Puis, soudain, sans qu'on le puisse prévoir, sans qu'on sache pourquoi, il retombe brusquement dans une tristesse infinie. C'est comme si ce petit visage se fermait. On dirait qu'il ne voit plus les choses, qu'il n'entend plus les bruits, mais qu'il s'évade dans un monde lointain, mystérieux, connu de lui seul. Il délaisse l'auto rouge, le casque à jugulaire dorée, les albums de photos... Il va à la fenêtre. Immobile, il reste là à regarder le vent secouer les branches des platanes. Il ne pleure pas, non. Simplement, il est triste, empli d'une froide et silencieuse tristesse d'homme. Ce gosse, ce gosse perdu dans on ne sait quel douloureux vertige, c'est déchirant...

Sylvie, bouleversée, disait :

— Pierrot... tu ne joues plus, Pierrot ?

Mais il n'entendait plus les mots. Il regardait le ciel, les ombres, la rue... Il regardait, au delà, d'invisibles images.

Sylvie allait à lui, lui touchait l'épaule.

— Pierre...

Alors, il tressaillait. Il tournait vers Sylvie un regard absent. Puis il souriait.

— Tu ne joues plus, Pierre ? tu es fatigué ?

Il hochait la tête.

Sylvie lui caressait les cheveux.

— A quoi penses-tu, mon chéri ?

Il hochait la tête :

— A rien, disait-il.

Il souriait d'un vrai sourire d'enfant. Cette tristesse glissait de lui. De nouveau, il avait neuf ans.

— Tante Sylvie, je peux mettre de l'eau dans mon auto ?

— Oui, Pierre...

C'était fini. Il retournait à ses jeux. Il riait avec
Alphonse. Heureux...

Jusque quand ?

Ce mystère, pensait Sylvie, cette anomalie, cette
marée qui en lui s'en va, revient, s'en va, revient... —
ce silencieux sanglot, c'est quoi ?

Madeleine venait tous les jours. Elle va s'attacher
à lui, pensait Sylvie, qu'adviendra-t-il, après ?...
L'enfant courait vers elle, s'accrochait à son cou :

— Tante Madeleine !

Madeleine fermait les yeux. Quelque chose, en elle,
se déchirait. C'était à la fois doux et douloureux.

Le docteur Charpentier contemplait ce spectacle
de sa femme et de cet enfant. Il respirait un grand
coup, passait la main sur son front comme pour chas-
ser une pensée gênante.

— Hé ! disait-il, on reprend des couleurs, à ce
que je vois ! Tout cela ne sera bientôt plus qu'un
mauvais souvenir...

— Jacques, demandait Sylvie, quand pourra-t-il
sortir ? Il n'a littéralement rien à se mettre et je voudrais...

— Moi aussi, disait Madeleine, j'y ai songé... J'ai
vu, à « l'Enfant Roi », un petit costume...

Le docteur Charpentier riait :

— Voyez-vous ça ! je vais finir par être jaloux de
ce gosse, moi ! Sortir ? disons dans deux jours, si le
temps n'est pas plus froid...

Il soulevait à deux bras le petit Pierre, l'élevait
au-dessus de sa tête, le secouait :

— Sacré gamin, va !

Et le petit, confiant, heureux, se laissait faire.

— Bon ! disait Jacques, je file ! il s'agit d'aller

gagner sa croûte pour habiller Monsieur !... Je vien-
drai te reprendre à six heures, Madeleine !

Il serrait la main de Sylvie, embrassait sa femme,
ébouriffait les cheveux de Pierre !

— Oui, sacré gamin !...

Il hésitait, il ouvrait la bouche comme pour dire
quelque chose, se grattait la nuque, se taisait.

— Jacques, demandait Madeleine, qu'y a-t-il ?

Le docteur Charpentier haussait les épaules.

— Rien, rien... A bientôt !

Il s'en allait.

L'abbé Brun revint, lui aussi. Cette fois, il prit la
précaution, sitôt la porte franchie, de s'essuyer vigoureusement les pieds sur le paillasson. Il avait son sourire d'adolescent :

— Vous voyez, dit-il, je me civilise ! Comment va
notre bonhomme ?

Mais ledit bonhomme, l'apercevant, ne témoigna
pas d'un enthousiasme excessif.

Il murmura un prudent « Bonjour, monsieur
l'abbé », baissa la tête et alla en douce se réfugier
derrière Madeleine.

— Ça alors ! fit Sylvie, amusée, on ne peut pas
dire que la confiance règne ! Asseyez-vous, monsieur
l'abbé !

Le prêtre s'assit et l'on parla, à bâtons rompus, de
tout et de rien. A quatre heures, comme de coutume,
Alphonse apporta le café. La nuit, déjà, commençait
à tomber. Dans la pièce, la pénombre noyait le con-
tour des choses. Sur la table basse, le cendrier en cris-
tal taillé luisait doucement ; en clignant un peu des
yeux, on lui arrachait une longue étincelle verte et
rouge qui s'étirait, fragile, en direction de la fenêtre.

Le petit Pierre ne disait rien. Assis près de Madeleine, sur le bras du fauteuil, il écoutait.

— Et quand revient votre mari, madame ? demandait l'abbé Brun.

— Demain, monsieur l'abbé ! tout à l'heure, justement, je pensais à sa surprise en découvrant notre nouveau pensionnaire !...

— Oui... Une fameuse surprise, en effet ! Vous ne craignez pas que... enfin, qu'il juge cette surprise quelque peu...

Difficile à dire devant Pierre ! Mais Sylvie secouait la tête :

— Lui ? pensez-vous, monsieur l'abbé ! Je suis sûre qu'ils vont s'entendre comme larrons en foire, tous les deux !

— Sans doute, madame... Mais votre vie, néanmoins, va devenir — comment dire ? — plus normale, plus absorbante... Cette situation ne pourra pas, n'est-ce pas, s'éterniser...

Sylvie, indécise, fit une moue. Evidemment, il avait raison. Tôt ou tard, il faudrait...

— Il faudrait peut-être, reprit le prêtre, y songer, madame... Il faudrait que chacun commence doucement à s'y préparer. Je pense que vous me comprenez ?...

Pierre, lui, ne comprenait pas le sens de ces phrases-là. Mais, au ton des voix, à ces regards furtifs qu'on échangeait, à l'atmosphère devenue plus lourde, subitement, il flaira d'instinct un danger, une menace... Sans un mot, il mit sa main dans la main de Madeleine.

L'abbé Brun se levait :

— Déjà cinq heures ! fit-il, il est temps que je me sauve ! Ah ! j'oubliais : tes petits camarades te font

bien des amitiés, Pierre ! et ils se réjouissent tous de
te revoir. Je ne dois rien leur dire de ta part ?

Madeleine sentit frémir la petite main. Elle la serra
tendrement dans la sienne.

— Dis, Pierre ?

— Non, dit-il, non... je ne veux pas retourner là-
bas !

L'abbé regarda Sylvie. Sylvie, en signe d'impuissance, haussa lentement les épaules. Ce serait terrible,
oh ! oui...

Mais dans l'ombre la main de Madeleine serrait la
main de Pierre. « N'aie pas peur, disait la main de
Madeleine, n'aie pas peur. Je suis là. Rien n'est fait
encore... On ne sait pas, on ne sait jamais... N'aie pas
peur... »

Madeleine, — ô Madeleine douce et bonne — tu le
sais bien, pourtant, qu'il faudra bien...

CHAPITRE VI

Cette fois, il neigeait bel et bien. Le ciel avait crevé d'un coup, comme un énorme sac d'ouate, et les gros flocons tombaient en rangs serrés sur la route. A tel point que le dégivrage ne suffisait pas à les faire fondre et que les essuie-glaces se bloquaient. Tous les kilomètres, Sylvie devait s'arrêter, sortir de la voiture, de la main essuyer le pare-brise. Puis, tout doucement, elle se remettait en marche, tout doucement, en essayant de ne pas déraper et de ne pas faire brouter l'embrayage. La vaillante petite 4 CV. faisait ce qu'elle pouvait.

Le plus ennuyeux, c'est qu'on n'y voyait pas à vingt mètres. Les gros phares ne servaient à rien ; ils étaient même plutôt gênants, parce que les flocons de neige, dans la lumière brutale, devenaient aveuglants. Heureusement que Sylvie connaissait la route par cœur ! N'empêche, en arrivant à l'aérodrome, elle faillit buter contre un camion-citerne qui avait négligé d'allumer ses feux rouges...

Sylvie rangea la voiture et, en courant, se réfugia

dans les bâtiments d'Air-Europe. En habituée, elle se dirigea vers les services de la Météo.

— Bonjour, m'sieur Leroy !

Le chef du service météo poussa une exclamation de surprise :

— Sylvie ! pas possible ! mais on ne vous voit plus...

— Hé ! que voulez-vous, le règlement c'est le règlement : pas de femmes mariées dans l'aviation !

Elle s'ébroua, passa la main dans ses cheveux :

— Fichu temps ! elle a mis du temps à venir, cette neige, mais maintenant elle met les bouchées doubles !

Leroy la regardait en souriant, visiblement heureux de la revoir.

— Ça fait plaisir de vous retrouver, Sylvie !... vous ne regrettez pas trop le métier ?

Elle fit la moue :

— Heu... couci-couça ! mais il y a des compensations, vous savez ! et je... atchoum !

Elle éternua brusquement, à trois reprises.

— A vos amours ! fit Leroy.

— Merci ! à propos d'amours, j'attends le mien qui arrive de New York. Vous ne savez pas où il en est ?

— Je m'en doutais, fit Leroy, prenant une mine faussement vexée, c'est encore une visite intéressée !... Enfin, on va voir ça...

Il décrocha le téléphone de service, appela la tour de contrôle :

— Allô ? ici Leroy, voulez-vous me donner la position du D.O. 32, en provenance de New York... pardon ?... oh ! bon, merci !

Il raccrocha.

— Il est annoncé, fit-il, et déjà pris en charge par

la radio, car vous pensez bien qu'il va devoir se poser
à l'aveuglette... D'ailleurs, écoutez...

Sylvie tendit l'oreille. On entendait, faiblement, le
ronron sourd d'un moteur.

— Oh ! j'y vais ! bien merci, m'sieur Leroy, à bientôt !...

Elle détala au pas de gymnastique, descendit quatre à quatre le large escalier de pierre.

— Bonjour, Sylvie !

— Tiens, une revenante ! comment vas-tu ?

Les hôtesses d'accueil la reconnaissaient, lui ten-
daient la main. En hâte, elle serrait ces mains.

— Ça va, ça va, merci ! dites, je peux passer ?

Car le public, bien entendu, n'était pas admis sur le
terrain et devait attendre que les formalités de débar-
quement fussent terminées.

— On la laisse passer ?

— Heu...

Les hôtesses d'accueil s'amusaient à faire semblant
d'hésiter puis, évidemment, la laissaient passer. Au
fond, Sylvie ne serait-elle pas toujours l'enfant de la
maison ?

— C'est ton époux qui arrive ?

— Oui !

— Dans ce cas, dépêche-toi !

Sylvie, dans la neige, se précipitait vers le terrain.
On ne voyait pas l'avion mais, au bruit des moteurs,
Sylvie reconnut qu'il venait de se poser et qu'il roulait sur la piste. Elle distingua bientôt sa masse
énorme qui se rapprochait lentement. Son cœur se
mit à battre. Philippe !

Le vent soufflait furieusement. Sylvie, les cheveux
en désordre, se protégeait le visage avec les mains.

Puis la porte s'ouvrit et les passagers, à la queue
leu leu, commencèrent à descendre la passerelle.

Philippe ! Elle eut, en l'apercevant, une brusque faiblesse dans les jambes. « Je l'aime, pensa-t-elle, c'est extraordinaire !... » Elle ne bougeait pas. Elle le regardait avec émerveillement, comme si elle s'étonnait de le retrouver inchangé après une longue absence. Philippe, mon amour...

Puis il fut devant elle. Avec son sourire à la fois tendre et un peu moqueur ; avec la chaude caresse de son regard ; avec ses larges épaules, qui soudain cachèrent à Sylvie le reste du monde...

— Mon bébé...

Elle était blottie contre lui. Elle se sentait toute petite, toute menue. Il n'y avait plus de vent, plus de neige, plus rien. Il n'y avait plus qu'un merveilleux silence, infini, éternel — presque douloureux.

— Mon petit bébé...

Alors, elle releva la tête.

— Viens ! dit-il.

Elle s'accrocha à son bras. Elle avait l'impression de flotter, de voler dans le vent. De fondre dans un grand bonheur tiède, comme ces flocons de neige qui venaient se poser et fondre sur ses joues, sur son front, sur sa bouche...

Gambier s'assit au volant et lança le moteur. Il reprenait possession de sa voiture avec un plaisir évident, caressant de la main le levier des vitesses et, des yeux, le tableau de bord. Machinalement, il rectifia la position du rétroviseur.

Il sourit d'aise.

— Ah ! fit-il, qu'on est bien chez soi !

Puis brusquement, il prit dans sa main le menton de Sylvie et contempla son visage.

— Curieux, grommela-t-il.

— Qu'est-ce qui est curieux ?

— Qu'un petit bout de femme insignifiante comme toi tienne dans ma vie une telle place !

Sylvie prit un air faussement indigné :

— Insignifiante ? dites-donc, cher ami...

Il haussa les épaules :

— Bien sûr, insignifiante : un mètre soixante-quatre, cinquante-deux kilos... une vraie môme crevette ! Et dire que je ne puis plus m'en passer... Tu n'es pas une femme, tu es quelque chose comme un microbe.

Il embraya, démarra doucement.

— Fichu temps ! énonça-t-il d'un air ravi, oh ! bébé de mon cœur, que la vie est belle... Heureux qui comme Ulysse, après un long voyage...

Sylvie, admirative, siffla :

— Bravo ! comment ç'a marché, là-bas, Phil ?

— Ça n'a pas marché, ç'a couru ! J'ai vécu huit jours au pas de gymnastique ! Des usines formidables, tu n'as pas idée... Mais ces Américains vivent perpétuellement sur un rythme de be-bop !

— Pauvre petit chéri fragile ! C'était intéressant ?

— Oui et non... Il y a trop à voir, on n'a pas le temps. Ce que j'ai surtout retiré comme impression, c'est qu'on va à grands pas vers la fusée téléguidée et qu'on se passera bientôt des pilotes !

Il soupira comiquement :

— Je suis peut-être un des derniers pilotes, reprit-il, quelque chose comme le dernier des Mohicans !... j'ai cependant fait une constatation passionnante...

— Quoi ?

— J'ai observé avec intérêt et insistance que les Américaines ont des jambes... oh ! mais, des jambes !...

Ce disant, il lâchait d'une main le volant pour se

protéger, s'attendant à ce que Sylvie, fidèle à ses
bonnes habitudes, le pinçât de toutes ses forces.

Mais elle ne broncha pas.

— Vraiment ? fit-elle, je suis contente que tu aies
eu ce petit plaisir... contemplatif, Phil ! J'avais des
remords, figure-toi, mauvaise conscience...

Il ne comprenait plus. Inquiet, il lui jeta un bref
regard en coin. Rêveuse, elle regardait devant elle, les
sourcils relevés, la bouche entrouverte : « Qu'est-ce
que ça veut dire ? pensa-t-il, Dieu sait ce qu'elle a
encore pu manigancer !... »

— Des remords ?

— Oui, Phil...

Elle eut un long soupir, parut hésiter.

— Philippe, commença-t-elle, tu sais que...

Elle l'appelait Philippe ! Gambier fit la grimace.
Deux fois, elle l'avait appelé Philippe : le jour où il
avait oublié — mais totalement ! — la date de son
anniversaire ; et la fois où il avait astiqué la voiture
avec ce qu'il croyait être un vieux chiffon et qui, en
réalité, était un châle prétendument ancien que Sylvie
tenait de sa grand-mère... Et voilà qu'elle remettait
ça ! Gambier s'attendait au pire.

— ...tu sais, Philippe que j'ai horreur des menson-
ges et des situations troubles... Dans le mariage, je
suis pour la franchise, pour la loyauté... Il faut avoir
le courage, je crois, de voir les choses en face, aussi
graves soient-elles... Nul n'est à l'abri des tenta-
tions...

Elle avait, oui, sa voix de catastrophe ! sa voix
blanche, monocorde, inexpressive. Et que signifiait
ce solennel préambule en forme de lieu-commun ?
Gambier avala sa salive.

— ...tu es d'accord, n'est-ce pas, Philippe ? La vie
est bizarre, pleine de contradictions, de sentiments

imprévisibles, incompréhensibles... Si l'on m'avait dit
ça, il y a seulement dix jours !

Gambier comprenait de moins en moins. Il avait
l'impression désagréable qu'on lui passait un lacet
autour du cou. Que s'il faisait un geste, s'il disait un
mot, le lacet se refermerait... Le moteur faisait son
bruit monotone. Les essuie-glace butaient contre la
neige et ne réussissaient à ménager, sur le pare-brise,
que deux triangles qui se rétrécissaient de plus en
plus.

Après la joie du retour, cette soudaine atmosphère
de fin du monde, de drame en vase clos...

— Philippe, reprit Sylvie, je te supplie de me comprendre, de faire un effort pour te mettre à ma place,
dans ma peau !... Nous ne sommes plus des enfants,
n'est-ce pas ?... J'étais heureuse, emplie de mon amour
pour toi... Quand tu es parti pour Détroit, j'ai
regardé l'avion qui s'envolait dans la nuit. Et mon
cœur s'envolait avec lui. Je suis revenue. Je marchais
dans les rues et je me répétais ton nom. Tout était
simple, tranquille, sans problème. Et puis le destin
a frappé...

Elle se tut un instant. Elle respira avec effort. Brusquement, elle posa la main sur le bras de Gambier :

— Philippe, dit-elle, — sa voix tremblait — Philippe, tu vas trouver un homme, chez nous, en ren-
trant. Il est malade, blessé. Nous l'avons trouvé dans
le jardin, Alphonse et moi, en pleine nuit... Nous
l'avons recueilli. Il a failli mourir. Je l'ai soigné,
Philippe... il faut me pardonner... mais je crois...
je crois que je me suis mise à l'aimer !...

Gambier freina si brutalement que la voiture, sur
la neige, fit un tête-à-queue complet. Il était devenu
blême.

— Qu'est-ce que tu dis ?...

Il saisit Sylvie aux épaules, serra si fort qu'elle poussa un cri de douleur.

— Qu'est-ce que tu ?...

Mais il réussit à se maîtriser, la lâcha. Ce n'était pas possible... Pas possible, non ! il rêvait, il avait mal entendu. A côté de lui, effondrée, la tête entre les mains, Sylvie pleurait. Pas possible... Tout se défaisait, se brisait, s'écroulait. Une immense stupeur. Une douleur horrible, brusquement surgie, qui mord dans la chair... Mais, mais ce n'est pas possible, pas possible ! Sylvie, sa Sylvie... « Je crois que je me suis mise à l'aimer... » Gambier serra les poings. Il était comme hébété. Comme s'il avait reçu, sur la tête, un coup violent. Une colère terrible — et une grande pitié...

Elle pleure. Elle est toute secouée de sanglots. Sylvie... Le moteur tourne au ralenti. Il neige. Gambier ne sait pas, ne sait plus. Elle pleure.

Alors, sauvagement, il lui relève la tête. Il veut voir ce visage ; voir, dans ses yeux, toute l'horreur définitive de cet aveu...

Elle n'a jamais ri comme ça. Elle est toute secouée de hoquets et les larmes ruissellent sur ses joues. Elle rit si fort qu'elle a mal partout !

— Phil ! Phil ! oh mon Dieu, que j'ai mal... Avoue que je t'ai eu, hein ?

Gambier, stupide, la regarde.

— ...ça t'apprendra... aïe !... à admirer les jambes des Américaines... aïe ! mon pauvre Phil, que les hommes sont naïfs !... Je t'adore !

Il n'en revient pas, Gambier ! Il est délivré d'un fameux poids, évidemment, mais une si diabolique habileté à jouer la comédie le laisse rêveur et méfiant...

Il émet un petit rire idiot :

— Tu es un monstre ! dit-il.

— Non, Phil... ta femme, simplement !

Elle s'essuie les yeux, du revers de la main.

— Passe-moi ton mouchoir, Phil !

Subjugué, il obéit. Elle se mouche bruyamment, s'apaise peu à peu. Elle regarde Gambier, et, devant son air mi-soulagé, mi-vexé, elle est de nouveau au bord du fou rire.

— Phil chéri... ah ! monsieur veut me rendre jalouse, monsieur veut faire les fanfarons, les jolis cœurs ?... Monsieur est-il assez puni ?

Gambier souffle dans ses joues, se gratte le crâne.

— Oui, dit-il, tu es un monstre... Mais tu l'as échappé belle... j'ai bien failli t'étrangler !

— Ça ne m'étonne pas, tu es une brute !

Elle se fait toute petite ; elle se niche contre lui. Elle a envie de ronronner, comme font les chats. « Comme je l'aime, pense-t-elle, ce grand nigaud !... »

Et lui, il a à présent l'impression d'avoir failli se noyer, d'avoir, juste à temps, saisi la perche...

— En route, Phil !

Sur la route glissante, la voiture vire prudemment. Ils se taisent. C'est prodigieux, l'amour !...

Sylvie appuie sa tête sur l'épaule de Gambier. Ah ! pouvoir rouler ainsi jusqu'au bout du monde, toute la vie... On arrive en ville. Il n'y a presque pas de circulation. Les vitrines, déjà, une à une, s'allument.

— Arrête, Phil, on va boire un café... J'ai des tas de choses à te raconter ! Je ne t'ai fait avaler qu'un demi-bobard : il existe bel et bien, l'homme du jardin...

Gambier a un haut-le-corps.

— Oui, reprend Sylvie, mais ne t'excite pas : il a neuf ans. Je vais t'expliquer...

Gambier gara la voiture. Ils entrèrent dans un petit

café sympathique, au coin de l'avenue des Invalides ;
s'installèrent près de la fenêtre.

Pierre dormait. La lumière du lustre brusquement
allumé le gêna. Il grogna faiblement, entrouvrit les
yeux, sourit et referma les yeux. Pas pour longtemps !
Il les rouvrit aussitôt, tout grands, dilatés de surprise.
Rêvait-il encore ?

— Salut, garçon ! dit Gambier, et il fit le salut militaire.

Alors Pierre se frotta vigoureusement les yeux et
s'assit d'un coup sur son lit. L'aviateur ! L'uniforme
bleu, la casquette d'officier avec les ailes brodées de
fil d'or... Exactement comme sur les photos ! Avec
cette différence que les photos, elles, ne parlent pas.

Gambier sourit :

— Alors, on ne dit pas bonjour ?

Non, Pierre ne rêvait pas. Il tourna la tête, vit Sylvie et Madeleine qui le regardaient avec amusement.
Son visage s'éclaira.

— Bonjour, monsieur ! dit-il.

— Non, fit Gambier, on ne dit pas : bonjour, monsieur ; on dit : bonjour, oncle Philippe !

— Bonjour, oncle... oncle Philippe... !

Gambier s'assit sur le lit, à côté de lui.

— Je suis content de te voir, dit-il, on m'a déjà
beaucoup parlé de toi, depuis mon arrivée ! Tu as
été malade, hein ?

— Oui...

— Mais tu es guéri ?

— Oui...

—

— Bon. Tant mieux, parce que moi j'ai bien envie d'aller me promener avec toi et — si ça t'intéresse — de t'emmener faire un tour en avion !

L'enfant, stupéfait, avala sa salive.

— Moi ?... en avion ?... dans un vrai avion ?

— Bien sûr ! reprit Gambier avec le plus grand sérieux, et comme s'il s'adressait à un égal. Ça te plairait ?

Le petit Pierre n'en croyait pas ses oreilles. Il joignit les mains.

— Oh, oui, monsieur... euh... oncle Philippe... C'est pas une blague ?

Fasciné, il regardait Gambier avec une admiration éperdue. Il devait avoir l'impression de se trouver soudain en face d'un héros sorti tout droit d'un livre d'images, ou descendu d'un écran de cinéma. Une sorte de Superman en chair et en os...

— Comment ça, une blague ? protesta Gambier, est-ce que j'ai l'air de plaisanter ? Mais pas du tout... tu viendras avec moi dans le poste de pilotage et je te montrerai comment ça marche... Même, si tu es sage, tu pourras tenir le manche...

— Le... quoi ?

— Le manche, le volant, quoi !

— Oh !

Il regarda tour à tour Sylvie et Madeleine. Mais, de la tête, elles approuvaient. Son regard revint à Gambier.

Alors, doucement, il repoussa la couverture, se mit à quatre pattes, s'approcha de Gambier et lui mit, sur la joue, un baiser timide.

Gambier, ému, lui pinça gentiment le menton.

— Drôle de bonhomme ! fit-il, mais couche-toi, à présent... et dodo !

Le petit Pierre se recoucha docilement. Sylvie éteignit le lustre. Ils quittèrent le living.

— Avouez, Philippe, dit Madeleine, que nous vous avons réservé une surprise de dimension !

Ils achevaient de dîner dans la salle à manger. Le docteur Charpentier était venu les retrouver. Dans les verres, le vin allumait quatre petites flammes pourpres.

— Oui, fit Gambier, mais vous ne savez pas tout, Madeleine !

Il désigna Sylvie :

— ...vous voyez cette créature à l'air angélique ? eh ! bien, c'est le diable en personne. Je m'en vais vous raconter ça !

Il narra comment Sylvie s'était moquée de lui et souligna ses machiavéliques talents de comédienne.

— N'est-ce pas, conclut-il, que c'est un monstre ?

Jacques et Madeleine riaient.

— Mon cher Philippe, disait Jacques, l'homme le plus perspicace demeure toujours, devant sa femme, étonnamment naïf et candide ! Elles ont toutes les ruses, toutes les astuces... Il y a longtemps, quant à moi, je vous assure, que j'ai renoncé à jouer au plus malin !...

— Le prix de l'expérience ! dit Madeleine en riant.

— Oui, convint Jacques. Bah ! je ne m'en porte pas plus mal, au contraire... N'empêche, Sylvie, c'est cruel ce que vous avez fait !

Sylvie prit son air le plus innocent :

— Cruel ? tu trouves ça cruel, toi, envers un homme qui t'avoue froidement avoir passé le plus clair de son temps à admirer les autres femmes ?

Mais c'est le fouet qu'il mérite ! Tu n'es pas de mon avis, Madeleine ?

— Absolument, approuva Madeleine, ils ont besoin d'une petite leçon de temps à autre, ces chers amours ! Enfin, tout est bien qui finit bien... et, à propos d'amours, je bois aux vôtres !

Elle porta son verre à ses lèvres. L'horloge, dans le hall, sonna dix heures. Au-dehors, on entendait hurler le vent. La radio, en sourdine, jouait des valses de Chopin. L'heure était douce.

— Ce gosse, dit Gambier, c'est affreux. Tu as été chic, Jacques !

— Moi ? mais je n'ai rien fait que mon métier... C'est ta femme, — ce monstre diabolique dont nous parlions ! — qui a fait une fois de plus la preuve de sa générosité.

— Ça va, Jacques ! fit Sylvie, gênée. N'en jette plus. D'ailleurs, je me demande ce que j'aurais fait sans Madeleine...

Ce fut au tour de Madeleine de protester.

Gambier sourit :

— Bon, dit-il, si je comprends bien, personne n'a rien fait... Nous nageons en plein égoïsme !... Quand même, pauvre gosse... Car c'est très joli, tout ça, mais après ? On le gardera ici tout le temps qu'il faudra, évidemment, mais... Qu'en dit l'abbé Brun ?

— Rien, fit Sylvie. Que veux-tu qu'il dise ? Il n'y a pas trente-six solutions : il faudra bien qu'il retourne à l'orphelinat...

— Moche ! dit Gambier.

Personne ne répondit. Oui, c'était moche.

Il y eut un petit silence que troua, au-dehors, le bref coup de klaxon d'une voiture.

— Jacques, reprit Gambier, toi qui es médecin, tu ne vois pas un moyen...

— Un moyen ?

— Oui, un moyen de le sortir de là... Je ne sais pas, moi, en payant, au besoin... Il a l'air intelligent, ce petit...

Jacques haussa les épaules.

— Quel moyen, Philippe ? Pour les orphelins, il y a l'orphelinat — un point c'est tout. Remarque qu'ils n'y sont pas malheureux, en général...

— Il s'est quand même enfui !

— Oui... parce que ce n'est pas un gosse comme les autres. Au début, tu aurais dû voir comme il était hostile, contracté, révolté... Ça c'est passé, mais il subsiste en lui un fonds de tristesse absolument anormal pour son âge...

— Oui, dit Sylvie, il joue, il a l'air heureux — **et** puis tout à coup il sombre dans un profond abattement. Comme quand on a le cafard !... Tu crois que ça lui passera, Jacques ?

Le docteur Charpentier eut une moue dubitative.

— Je ne sais pas... Les enfants sont des êtres fragiles, d'une sensibilité étonnante... S'il pouvait retrouver un foyer, une chaleur, une tendresse certaine, je me porterais garant de sa guérison morale... Mais dans les conditions actuelles... On le sent tendu, méfiant, apeuré... On dirait qu'il n'ose pas se livrer à fond... Un petit chat échaudé, quoi ! Hélas ! il n'y a pas de pilules, de remèdes, pour guérir le manque d'affection...

Jacques se tut. Gambier, perplexe, alluma une cigarette. Sylvie regardait dans son verre flotter le reflet du lustre à six branches. Madeleine ne disait rien. Du doigt, elle poussait des miettes de pain sur la nappe blanche.

— On verra, reprit encore Gambier. En attendant,

qu'il reste ici. Mon Dieu, ce sera toujours ça de pris !
On va tacher de l'amuser, de le distraire...

— Vous n'y réussirez qu'à demi, dit Jacques. Je
parie même que vous n'y réussirez pas du tout. Vous
lui offrirez des vêtements, des jouets, des friandises
— cela lui fera plaisir ; c'est de son âge. Mais, justement, parce qu'il est intelligent, il sait que tout cela
est instable, provisoire — et qu'il retournera d'où il
vient... Les gosses ont une intuition prodigieuse. Vous
allez l'entourer de superflu — mais toujours lui man-
quera l'essentiel... Une maman ne se remplace pas !

— Dans ce cas... fit Gambier.

— Non, poursuivit Jacques, une maman ne se remplace pas, mais...

Il hésita, regarda Madeleine, dit très vite :

— ...mais il y a des femmes qui ont, tout prêt, un
cœur de maman — et à qui a été refusée la joie
d'avoir un enfant...

Gambier, surpris, regarda Jacques. Sylvie leva la
tête. Pourquoi Jacques ?... Le docteur Charpentier,
doucement, mit sa main sur la main de Madeleine.

Madeleine ne disait rien. Du doigt, elle poussait,
sur la nappe blanche, les miettes de pain. Il y avait,
dans ses yeux, comme une eau qui tremblait.

CHAPITRE VII

Pierre put sortir. Sylvie et Madeleine le rhabillèrent de pied en cap. Il était méconnaissable dans son nouveau costume de tweed, avec son nouveau manteau bleu à col de velours... Ce fut, durant les jours qui suivirent, une succession d'événements joyeux, promenades en voiture, achats dans les magasins, haltes dans les pâtisseries. Le petit retrouvait des joues rouges. Il dévorait. Il avait de grands éclats de rire. Parfois, brusquement, il attirait à lui Sylvie et Madeleine, les embrassait avec fougue.

— Tu es content, Pierrot ?

— Oui... oh ! oui...

Et si Jacques s'était trompé ?... Mais Jacques ne s'était pas trompé. Le petit, tout à coup, cessait d'être au diapason et retombait dans sa rêverie morose.

— Tu veux encore un gâteau, Pierre ?

Il ne répondait pas. Autour de lui, les serveuses allaient et venaient. Les gens se bousculaient, parlaient haut. Un jet de vapeur, en sifflant, s'échappait du percolateur. Il n'entendait pas.

Sylvie lui touchait l'épaule et il sursautait.

— Pierre, tu veux encore un gâteau ?

Il secouait la tête ; disait poliment :

— Non, merci, tante Sylvie.

Le ressort était brisé. Rien, pendant des heures, ne pourrait plus le distraire de sa tristesse. Dans la voiture, il demeurait silencieux et immobile.

— A quoi penses-tu, Pierre ?

— A rien, tante Madeleine...

Chose étrange, s'il vouait à Philippe une admiration sans bornes, il était à la maison, depuis le retour de Gambier, plus sombre encore que de coutume. Sylvie, un moment, crut à une jalousie d'enfant. Mais non : lorsqu'elle s'occupait de Philippe devant lui, redressait son nœud de cravate ou sa pochette, il souriait avec sympathie.

— Tu te moques de nous, hein ?

Sylvie, gentiment, le menaçait du doigt.

— Non, disait-il, non, tante Sylvie ! Tu sais, ma maman, elle s'occupait aussi de mon papa...

Sylvie le prenait sur ses genoux :

— Ecoute, Pierre, je veux que tu me dises la vérité... Tout le monde t'aime bien, ici. C'est parce que tu penses à ta maman que tu es triste ?

Il rougissait brusquement, baissait la tête.

— Oui, disait-il, mais je sais bien qu'elle ne reviendra pas, alors... C'est pas seulement pour ça !...

— C'est pour quoi ?

Il pinçait les lèvres, essayait de se dégager. Sylvie l'entourait de ses bras.

— Non, disait-elle, tu ne te sauveras pas ! Je veux que tu me répondes, parce que je t'aime ; parce que

je veux que tu ne sois plus triste... Alors, c'est pour
quoi ?

Un sanglot le secouait. Il cachait son visage contre
le cou de Sylvie. Il disait tout bas :

— Je ne veux pas retourner là-bas, à l'orphelinat !

Pauvre gosse ! Sylvie faisait un effort, affectait de
rire :

— Tu es fou ! est-ce qu'il est question de cela ?...
Regarde-moi !

Il la regardait. Avidement, anxieusement, comme
s'il tentait de lire en elle.

— Je sais bien, disait-il, que je ne pourrai pas rester ici...

— En voilà des idées ! et pourquoi donc ?

— Parce que... parce que oncle Philippe est revenu...

— Mais il t'aime bien, oncle Philippe !

Il secouait la tête.

— Oui, mais... L'autre jour, tu croyais que je dormais ; je vous ai entendus... Oncle Philippe a dit : à
propos, le patron m'a parlé d'un boulot pour toi,
bébé ; une histoire de publicité, si j'ai bien compris...
Tu as répondu : ah ! oui ? mais il y a le gosse. Alors
oncle Philippe a dit : oui, c'est ennuyeux. Il faudra
qu'on trouve une solution... Tu as encore répondu :
on verra bien, Phil, rien ne presse, je ne peux pas me
résoudre à... Puis quelqu'un a fermé la porte et je
n'ai plus rien entendu.

De nouveau, il cacha son visage contre l'épaule de
Sylvie. Elle sentait, dans son cou, couler lentement
une larme chaude. Bouleversée, elle le serrait contre
elle, le berçait doucement.

— Il ne faut pas penser à cela, Pierre chéri...

Dans le même temps, elle mesura la stupidité de
cette phrase. Ne pas penser à cela ! Comme s'il pou-

vait penser à autre chose ! Comme si elle-même pouvait penser à autre chose !

— Il faut profiter du temps présent, mon chéri...
Moi non plus, je ne sais pas... On verra, on verra plus
tard... Mais c'est encore très loin, tu sais, plus tard !

Il disait soudain, avec une brusque violence :

— Tante Sylvie, tante Sylvie, promets-moi que tu
ne me renverras pas là-bas !...

Et il la regardait durement.

Mentir à cet enfant ? Mentir à ce petit homme ?
Sylvie détournait les yeux, souriait drôlement, disait :

— Allons, allons, Pierrot... oh ! déjà quatre heures ! tu viens avec moi faire des courses ?...

Il la regardait, et quelque chose, dans ses yeux, se
défaisait.

— Oui, tante Sylvie, je vais avec toi...

Sylvie s'assura qu'il dormait et ferma soigneusement la porte. Elle revint dans le salon. Gambier
tournait négligemment les pages d'un magazine.

Sylvie alluma une cigarette, s'assit dans un fauteuil.

— Dis, Phil...

— Mm... oui, bébé ?

— Tu sais ce qu'il m'a dit ? Il a voulu que je lui
promette de ne jamais le reconduire à l'orphelinat !
Il nous a entendus l'autre soir, quand tu m'as parlé
de ce job dont t'avait entretenu M. Dauran, pour
moi... Ainsi, tu vois, ce n'était pas de la jalousie. Il a
compris simplement que, puisque tu étais revenu, il
ne pourrait plus rester ici longtemps... C'est affreux,

Phil ! Quand je le vois avec son petit costume, si mignon, si joli ; et quand je pense à cet uniforme que bientôt...

Gambier, à son tour, alluma une cigarette. Dans la pénombre, la flamme brève éclaira son visage.

— La vie... dit-il, on se demande pourquoi certains ont de la chance, et d'autres pas. Encore qu'on ne puisse jamais savoir. La vie est longue !

Rêveur, il aspira la fumée, la rejeta lentement par le nez.

— Je me demande, reprit-il, ce que Jacques a voulu dire, l'autre soir, au dîner...

— Ah ? tu y as pensé aussi ?...

— Oui...

— Ton avis ?

Il fit une moue :

— Sais pas ! Ça peut vouloir ne rien dire du tout, mais ce n'est pas le genre de Jacques... Ça peut vouloir dire aussi qu'il songe... qu'il songe...

— A le garder, dit Sylvie, à l'adopter. C'est ça, hein ?

— Oui.

Il sourit.

— On n'ose pas trop y croire, de peur d'être déçu... Adopter un gosse, tu sais, c'est une grave affaire ! Il y a un tas de questions : l'hérédité, l'éducation, la santé... Consacrer sa vie à un enfant, à un enfant inconnu, somme toute, tu te rends compte ? Tu le ferais, toi ?

Elle n'hésita pas une seconde.

— Oui, dit-elle. J'y ai pensé, Phil ! Je le ferais de tout mon cœur, si je savais que... que je ne peux pas avoir d'enfants ! Mais, tu vois, c'est bizarre, il me semble que je dois me garder pour les miens... pour les nôtres !

Elle rougit faiblement :

— Sans compter que, de toutes façons, nous ne pourrions pas ; il y a la loi, nous sommes trop jeunes... Pour Jacques et Madeleine, ce n'est pas le cas.

— Le gosse, il s'entend bien avec Madeleine, je crois ?

— Magnifiquement ! on dirait qu'il sent, en quelque sorte, qu'elle a besoin de lui... Chère Madeleine ! ce serait une bonne chose pour elle, tu ne crois pas ? Elle aime tellement les enfants !

— Oui, oui, peut-être... mais ne t'excite pas ! On ne fait pas ces choses-là à la légère... Ça les regarde, bébé ! Tu sais, c'est aussi important, aussi lourd de conséquences que de se marier ! Enfin, c'est un espoir... Il faut attendre, laisser aller les choses... Tu sais quoi ? demain je suis de repos. Si le temps le permet, nous irons jusqu'au terrain, nous lui ferons faire une petite balade au-dessus de la ville. O. K. ?

— O. K. Phil ! il m'en parle tous les jours, d'ailleurs ! Et ça me fera plaisir aussi, depuis le temps que je n'ai plus volé !

A ce moment, le téléphone sonna. Sylvie décrocha.

— Allô... Madeleine ? quelle bonne nouvelle ?... quoi ?... oui, demain, bien sûr... On ne peut vraiment pas savoir ? bon, bon ! je n'insiste pas !... donc, pour dîner ? d'accord !... à bientôt, chérie !

Elle raccrocha, demeura rêveuse.

— Qu'est-ce que c'est ? demanda Gambier.

— Madeleine... Elle a l'air tout excitée... Elle nous demande d'aller dîner chez eux demain soir, pour nous annoncer une grande nouvelle...

— Ah ?

— Oui, ah ! comme tu dis... avoue que ce serait formidable, Phil... de la transmission de pensées, quoi !

— Et pourquoi ne vient-elle pas, elle, comme tous les jours ?

— Elle dit qu'elle a un tas de choses à faire ! Mais elle est dans une telle agitation que je n'ai pas compris la moitié de ce qu'elle m'a raconté... Elle qui est le calme en personne !

— Bizarre, hein, Phil ?

— Bizarre, oui...

Il bâilla.

— ... enfin, attendons demain ! Dis donc, ça me fatigue, moi, les émotions !... si on allait se coucher ?

Mais Sylvie trouva difficilement le sommeil. Ce serait magnifique, pensait-elle, magnifique pour tout le monde ! Oui... mais ne vendons tout de même pas la peau de l'ours ! Et Philippe qui dort comme un loir...

Dans le jardin, le vent secouait les branches des arbres. De temps à autre, une voiture passait dans la rue et les phares éclairaient le plafond.

Pourvu qu'on puisse voler, demain ! Il va être fou de joie, Pierre...

Et Madeleine qui, au téléphone, bégayait d'énervement... Ce serait formidable !

Le vent agitait le rideau de la fenêtre. Noirs sur le ciel noir, des nuages couraient au ras des toits. Au delà des nuages, on voyait parfois luire les étoiles.

Gambier lança le moteur. L'avion — un petit Fokker d'entraînement, maniable et nerveux — frémit du naseau à l'empennage et roula sur l'herbe.

Pierre, pétrifié, assis sur les genoux de Sylvie, ne bougeait pas. Il était un peu pâle.

L'avion s'engagea sur la piste, prit de la vitesse, se souleva légèrement, décolla. On entendit siffler le vent.

Gambier, lentement, prit de l'altitude.

— Ça va, Pierrot ?

Il fit oui de la tête. Il regardait Gambier comme il eût regardé un dieu. Puis son regard se portait sur le tableau de bord et il contemplait, stupéfait, ces cadrans, ces leviers, ces aiguilles, ces lampes rouges et vertes.

Gambier vira largement.

— Regarde, Pierre, le terrain !

Ces maisons minuscules, ces petits avions pareils à des jouets, ces autos miniatures, sur la route grise...

— Qu'en dis-tu, Pierrot ?

Il n'en disait rien. Il avait un léger sourire émerveillé. Gambier grimpa encore et creva le rideau des nuages. On flottait dans une ouate sale, jaunâtre. Des traînées humides serpentaient sur le cockpit.

Puis ce fut, brutal, prodigieux, l'intact royaume du soleil. Un ciel d'un bleu extraordinaire, et l'horizon avait des teintes roses et d'un vert très pâle. En bas, semblables à d'énormes rochers blancs, les nuages immobiles avaient des formes irréelles. Un monde inconnu, vaste, silencieux, d'une sérénité infinie. C'est peut-être, c'est sûrement le jardin des anges...

Le petit Pierre avait joint les mains.

— Oh ! fit-il, simplement.

Oui, petit Pierre, c'est sûrement le pays des anges. On ne les voit point parce que le bruit des moteurs les fait fuir et qu'ils se cachent au détour des nuages. Mais c'est ici qu'ils glissent doucement sous le ciel bleu, dans le lent battement de leurs blanches ailes. Tu les connais, les anges... Tu les as vus déjà dans ton missel, sur les vitraux multicolores de la chapelle,

le dimanche. Ils ont les cheveux longs. Ils sourient. Il
y a ceux qui soufflent dans les longues trompettes
thébaines, et ceux qui jouent sur des harpes d'or, des
airs très tendres. Il y a aussi ton ange gardien. Tu lui
donnes bien du mal, parfois ! Pardon, mon ange... Tu
sais que les anges voient le bon Dieu ? tu sais qu'ils
parlent avec les âmes ? Ton ange gardien, je suis sûr
qu'il vient parfois, le soir, quand s'allument les trem-
blantes étoiles, parler de toi avec ta maman... Pendant ce temps-là, toi, tu dors. Alors il en profite bien
vite et d'un coup d'aile — hop ! — il remonte au ciel.
Bonjour, madame, dit-il, c'est au sujet de Pierre... il
a fait ceci aujourd'hui, et cela ; il s'est mis deux fois
en colère et il a tiré la langue à Alphonse quand
Alphonse avait le dos tourné... Vous dites ?... que
c'est très vilain ?... oui, n'est-ce pas, mais il est malheureux, vous savez... Parce qu'il ne veut pas retourner à l'orphelinat ! C'est plus fort que lui : quand il
y pense il pleure et il a envie de mourir pour venir
vous retrouver... J'essaie bien de le distraire, mais
c'est difficile ! Il sait pourtant qu'il ne peut pas rester toujours chez tante Sylvie et oncle Philippe et
qu'il doit être raisonnable... Oui, mais il ne veut pas
retourner à l'orphelinat ! Savez-vous ce qu'il dit, madame ? qu'il se sauvera encore et qu'il viendra vous
retrouver ainsi que son papa... Il dit que...

— Pierrot !

Sylvie lui toucha l'épaule et il tressaillit.

— A quoi rêve-t-on, monsieur ?

— Tante Sylvie, c'est ici, le ciel ?

— Mais... oui, mon chéri !

— Alors elle est ici, ma maman ?

Sylvie, émue, sourit :

— Elle est là-haut, mon chéri... mais si haut, si
haut qu'aucun avion ne pourrait arriver jusque-là !

— Même un avion à réaction ?

— Même un avion à réaction !

— Ah !

Il leva les yeux, regarda l'infini vertigineux du ciel. Puis il dit tout à coup :

— Tu peux voler jusqu'au cimetière, oncle Philippe ?

Gambier, surpris, le regarda, puis regarda Sylvie.

— Bien sûr, fit celle-ci, allons jusque-là, Phil, puisque Pierre le demande...

Elle ne comprenait pas très bien. Elle était inquiète. Mais peut-être n'était-ce qu'un désir d'enfant troublé au souvenir de sa maman. « Pourvu, pensa cependant Sylvie, mal à l'aise, que Jacques et Madeleine... Ce n'est pas normal, cette attitude, pour un gosse de son âge ; et il est grand temps que cela cesse !... »

L'avion descendait. De nouveau, ce fut la croûte des nuages, puis le spectacle d'un monde à une échelle de poupée... Les champs comme coupés au couteau, les autos minuscules sur les petites routes étroites ; là-bas, un train, gros comme une chenille, qui court sur ses rails...

— Regarde ! dit Gambier.

C'était la ville, hérissée de clochers. L'avion descendait toujours. On voyait à présent le détail des choses : les cyclistes avec leur imperméable que le vent gonfle ; le dôme du Palais de Justice luisant de pluie ; les agents de police avec leur casque blanc et leur ciré jaune...

L'avion survola la ville, l'enjamba, descendit encore.

— Le voilà, Pierre, le cimetière !

L'enfant regardait. Gambier, une fois, deux fois, décrivit un large cercle. Des arbres nus, le gravier

gris des allées bien ratissées, le bouquet d'ifs au cen-
tre de la pelouse... — et les tombes alignées, les unes
à côté des autres, avec les fleurs fanées de la Tous-
saint et les croix de pierre.

— Ça suffit, Phil, dit Sylvie.

On voyait très bien les choses.

— Tante Sylvie, dit Pierre, regarde, le tram, on
voit son numéro... c'est le 23... c'est celui qui passe
près de chez nous !

— Oui, Pierre...

« Ouf ! pensait-elle, ce n'était qu'un caprice... Le
voilà pris, déjà, par un tram qui passe... Cette fa-
culté d'oubli qu'ont les enfants, c'est merveilleux !... »

Et en effet, Pierre, à présent, paraissait tout
joyeux.

— Tu me laisseras conduire, oncle Philippe ?

Gambier l'installait entre ses jambes, lui faisait tenir le manche.

— Tire... doucement...

Il tirait, doucement, et l'avion, docile, montait.

— Pousse... comme ça, oui !...

Il poussait le manche et l'avion se redressait.

Il riait.

— Chic ! tu sais, moi aussi je veux être aviateur !

Il prenait soudain un air soucieux, fronçait les sourcils, pressait la détente d'une mitrailleuse imagi-
naire :

— Tac-tac-tac !... Tac-tac-tac-tac !... tac-tac !... Tou-
ché ! T'as vu, oncle Philippe ?

Un gosse, oui...

— Et comment que je l'ai vu ! disait Gambier,
mais fais gaffe à gauche, en voilà un autre !... Allons-
y, mon vieux !

Il virait brusquement.

— Feu ! commandait-il.

— Tac-tac-tac !... tac-tac-tac !... tac-tac !... Deux,
oncle Philippe !... Non, t'es le commandant de l'esca-
drille, et moi le mitrailleur... ça va ?... En avant, les
gars !

*
**

— Sylvie !... Philippe !... que je suis contente de
vous voir ! C'est une chose extraordinaire, si vous saviez... Mais entrez, ne restez pas là... Entrez, entrez !

Jamais Sylvie ni Gambier n'avaient vu Madeleine
dans un pareil état. Elle les accueillait dans le hall
d'entrée, bousculait la bonne, joignait les mains. Elle
était si énervée qu'elle en avait les joues en feu.

— Seigneur ! disait Sylvie, tu as gagné à la lote-
rie ?

— Penses-tu ! bien mieux que ça ! Oh ! je n'y
crois pas encore... On va tout vous raconter, entrez !

Ils entraient et Jacques, souriant, leur tendait une
main fraternelle.

— Bonjour, Sylvie ! Salut, Philippe ! Dites, vous
vous rendez compte, ma femme ? à croire qu'elle a
avalé de la poudre à canon, non ?

Mais lui aussi, sous son calme apparent, on le sentait anormalement excité ; et ses yeux brillaient
comme les yeux des gens qui détiennent un secret
sensationnel qu'ils se proposent de vous confier petit
à petit, avec une astuce raffinée. « Toi, mon gros,
pensa Sylvie, je te vois venir, avec ton secret de poli-
chinelle ! Mais on va jouer le jeu, bien entendu !... »

— Asseyez-vous, disait Madeleine, un apéritif,
oui ? Martini, porto ?... qu'est-ce que tu dis, Jac-

ques ?... ah ? je croyais... Heu... Philippe, lait ou
citron ?

— Si ça ne vous ennuie pas, répondit Gambier, imperturbable, je prendrai un martini-dry ; quant au
citron, je le réserve d'habitude pour le thé ou le pois-
son...

Madeleine hochait la tête, riait :

— Qu'est-ce que je raconte ? Je vous jure que je
deviens folle, sûr ! Sois gentil, Jacques, fais le bar-
man !...

Le docteur Charpentier ouvrait les bouteilles, remplissait les verres. Puis son visage, tout à coup, devenait grave, et son menton se mettait à trembler.

— Mes amis, commença-t-il...

L'instant, soudain, était solennel. Sylvie et Philippe, instinctivement, se levèrent. Sylvie regardait
Jacques. « Pourvu, pensa-t-elle, pourvu que ce soit
cela !... »

— Mes amis, reprit Jacques, je vous propose de
boire... de boire... à la santé et au bonheur de notre
fils !

C'était ça ! enfin, c'était ça ! Il n'y avait pas besoin de poser des questions, de prendre un air étonné,
de jouer le jeu ! On le savait bien, sans erreur possible, qu'il parlait de Pierre !

Alors Madeleine fondit en larmes et Sylvie se précipita vers elle.

— Madeleine, je te félicite ! c'est merveilleux... Tu
sais, chérie, depuis l'autre soir, nous espérions, Phil
et moi, sans oser y croire...

Philippe serrait la main de Jacques.

— Tu as bien fait, mon vieux...

C'était tout ; entre hommes, on se comprend...

Madeleine, heureuse, sanglotait contre l'épaule de
Sylvie.

— Il y a si longtemps, disait-elle, si longtemps… Je suis faite pour avoir des enfants, moi ! C'était trop bête… Oh ! Sylvie, je voudrais déjà l'avoir !… Tu crois qu'il voudra bien ? qu'il sera content ?

— Madeleine… Tu le sais bien, qu'il t'aime, qu'il se réfugie toujours auprès de toi !

— Oui, n'est-ce pas ? Je vais faire arranger la chambre du second, à côté de la nôtre… Quand je pense que Jacques… Car c'est lui, tu sais ? moi je n'osais pas en parler ! Il est formidable, mon mari !

— Au moins ! faisait Jacques, et c'est d'ailleurs l'avis de tout le monde, hein ? Mais si on s'asseyait, vous ne croyez pas ?

Madeleine allait s'asseoir près de lui, sur le bras du fauteuil ; mettait sa main dans la main de Jacques. Comme des amoureux… Et d'ailleurs, tous les deux, ils étaient, eût-on dit, rajeunis de dix ans ! Miracle de la joie. Miracle de leur offrande — de cet espoir qu'ensemble, lucidement, délibérément, généreusement, ils mettaient dans la vie…

— Jacques, dit Sylvie, raconte-nous !

Il souriait, haussait les épaules :

— Quoi ? vous savez tout. Une vie sans enfants, même si on s'aime, si on s'entend bien, demeure toujours incomplète. On a un peu le sentiment d'être frustré, d'une part, et, d'autre part, l'impression gênante de ne pas faire tout à fait son devoir… Rien de particulièrement noble, là-dedans, remarquez ! simplement c'est ainsi. Et puis, travailler, gagner de l'argent, pour qui ? On pense : à quoi bon ? Vous deux, qui êtes très jeunes encore, vous verrez, vous comprendrez… Un jour vient où on a fait — combien de fois ? — le tour de tous les petits bonheurs conjugaux. On commence à sentir, imperceptiblement, qu'on vieillit… On commence à sentir que tous les petits bonheurs, c'est peut-être insuffisant pour former le bonheur. Dans la notion du bonheur, je crois — je crois de plus en plus — qu'il y a la notion d'utilité. Etre utile à quelque chose — mieux : à quelqu'un ! Le métier, oui, les malades... Mais cela demeure en dehors de soi. C'est une raison d'être, non un but. On espère — comment dire ? — à une joie fondamentale, intrinsèque ; à se donner, à se donner à deux, à la joie de donner...

Il sourit :

— Tout cela a l'air bien littéraire, n'est-ce pas ? Mais c'est difficile à expliquer... Vivre, c'est risquer quelque chose. Alors, il faut que le risque soit grand, valable, utile, quoi ! Risquer l'aventure d'élever un enfant, est-il rien de plus beau ? Le prendre en charge, absolument, en s'obligeant par là à se prendre soi-même en charge, est-il rien de plus humainement utile ? Et puis, n'est-ce pas, plus simplement, il y a l'instinct... Un homme, c'est aussi un père ; une femme...

Il pressa contre sa joue, tendrement, la main de Madeleine.

— Une femme, reprit-il, c'est d'abord une maman... Elle est née, bâtie, conditionnée pour ça ! Ne pas avoir d'enfant a été pour Madeleine un drame profond, silencieux. Moi, j'essayais de ne plus y penser. Elle aussi. Mais les enfants, dans la rue, jouent et vous font des sourires. N'y plus penser... Il faudrait être aveugle et sourd ! Puis il y a eu ce petit, Pierre... Alors tout s'est fait tout seul, tranquillement, naturellement. Du dehors, j'observais. J'ai vu Madeleine s'épanouir, lutter contre cet amour qui naissait en elle ; mais ne pouvoir y résister. Je me suis dit que, peut-être... Bien entendu, j'ai pris des renseignements. Mais les parents de l'enfant étaient de

braves gens, parfaitement honnêtes et honorables.
Quant au passé médical du petit, il présente toutes les
garanties souhaitables. Dès lors...

— Oui, dit soudain Madeleine, c'est hier matin...
Jacques s'est éveillé. Je ne dormais plus. Il m'a regardée. Il m'a dit tout simplement : « Ça te plairait, qu'on
le garde ? » Si vous saviez ! j'ai bien cru que j'allais
m'évanouir !...

Jacques se pencha, prit son verre, le vida d'un trait.

— Et voilà ! dit-il. Restent les formalités légales,
mais il n'y a pas là de problème... Notez que je ne
me fais pas d'illusions... adopter un gosse de neuf
ans, qui déjà possède sa personnalité, un certain
nombre d'habitudes, cela signifie qu'on va au-devant
de pas mal de difficultés... Bah ! il suffit de vouloir. Ça
le vaut, je crois... Et puis, ce gosse, il m'a séduit, moi !

— C'est... c'est tout bonnement magnifique ! dit
Sylvie, ravie. Il va être fou de joie, vous savez...
Quand lui annonce-t-on ? A mon avis, le plus tôt sera
le mieux ; inutile de le laisser plus longtemps dans
sa tristesse, dans sa terreur de retourner à l'orphelinat... Pour tout vous dire, j'ai presque peur, parfois, qu'il ne fasse une bêtise...

— Ben... fit Jacques, on peut le lui annoncer, non ?
mais c'est là une affaire de femmes : vous vous arran-
gerez, toutes les deux ! En attendant, si on passait à
table ?...

C'est à ce moment que le téléphone sonna. La bonne
vint dire à Sylvie qu'on la demandait.

— Moi ?

— Oui, madame.

— Moi ? ici ? je me demande bien qui peut...

Elle alla dans le hall, prit le récepteur. On entendait distinctement sa voix.

— Allô ?... oui, c'est moi... ah ! oui, Alphonse...

quoi ? qu'est-ce que tu dis ?... Mais... mais ce n'est pas possible, voyons ! Attends...

Elle repoussa brutalement la porte de communication. On entendait encore ce qu'elle disait, mais faiblement.

— Allô, oui... Tu es sûr ? tu as cherché partout ?... Mon Dieu, mon Dieu, mais ses vêtements ? Non, ne bouge pas, ne touche à rien... J'arrive tout de suite, tout de suite !

Elle raccrocha. Elle dit encore :

— Mon Dieu, juste maintenant que...

Elle rentra dans le salon. Elle était blême. Elle dut s'adosser au mur. Elle voyait le visage de Madeleine ; et ce visage commençait à tourner, à tourner, à tourner comme une toupie...

Gambier se précipita vers elle, la soutint fermement.

— Sylvie ! dit-il.

Alors elle fit un effort terrible :

— C'est Alphonse, dit-elle, il téléphone pour dire que... Pierre, Pierre a disparu ! il s'est sauvé !... Phil, vite, vite ! Il faut le retrouver, Philippe !...

CHAPITRE VIII

Les deux voitures, à toute vitesse, fonçaient dans les rues de la ville, l'une derrière l'autre.

Sylvie, hébétée, ne soufflait mot. « C'est trop bête, pensait-elle, trop stupide, oui... Il s'est sauvé... Pourquoi ? pour aller où ?... »

On devait s'arrêter aux feux rouges, laisser passer les piétons insouciants. Les enseignes lumineuses s'allumaient, s'éteignaient, s'allumaient, s'éteignaient... Les tramways passaient, chargés de visages indifférents. Plus vite, Phil ! La voiture, en grondant, repartait. Et Madeleine ? Elle est là, dans la Chevrolet. Elle a enfin cru tenir en mains le bonheur, un beau bonheur tout rond comme un ballon d'enfant — puis, au moment même qu'elle le touchait, le ballon a éclaté... Au carrefour de la place d'Armes, un lourd camion de brasserie manœuvrait lentement. Il fallait ralentir, s'arrêter, attendre... Plus vite, Phil ! Les arbres du boulevard sont maigres et noirs. La nuit est tombée, comme un couvercle. Il s'est enfui dans la nuit. Avec sa tristesse, avec son cœur qui est lourd.

Pour aller où ? Et s'il ?... Sylvie tressaillait, rejetait
cette horrible pensée. Les enfants ne se tuent pas !
Qui sait, Sylvie ? Puisqu'il est persuadé qu'il n'a plus
personne au monde ; puisque la vie, pour lui, est
semblable à un long tunnel humide et froid... Qui
sait ? puisque sa maman est au ciel... Elle imagina
cette monstruosité : le petit corps inerte, brisé, couché sur la terre grasse, avec autour de lui les gens
attroupés, avec le hurlement sinistre des voitures de
police et des ambulances. Elle eut, dans la bouche,
un goût de nausée.

— Philippe ! s'il allait faire une bêtise ? s'il allait
se...

Elle n'eut pas la force de prononcer ce mot.

Gambier, crispé au volant, haussa les épaules :

— Tais-toi ! dit-il, tu es folle... on le retrouvera !

Il dit qu'on le retrouvera. Peut-être... Sûrement,
même. Un enfant ne disparaît pas comme ça, ne se
volatilise pas ! On le retrouvera. Mais il faut le retrouver vivant, Philippe ! Pour ne pas crier, elle se
mordit les lèvres. Un pressentiment affreux était en
elle. Ce n'était pas un gosse comme les autres ! Sylvie,
pourquoi penses-tu : « ce n'était pas » ; pourquoi,
déjà, penses-tu à lui à l'imparfait ?

Elle ferma les yeux. Elle les rouvrit brusquement,
affolée. Cette sirène ? cette sirène qui hurle, qui se
rapproche, qui hurle à la mort ?...

— Bébé, dit Gambier, ressaisis-toi ! ce ne sont que
les pompiers...

La grosse voiture rouge, en effet, surgissait devant
eux et s'engouffrait dans l'avenue des Arts.

Sylvie respira... Ce ne sont que les pompiers... Les
pompiers, Sylvie... Il mettait son petit casque à jugulaire dorée, glissait la hache à la ceinture, demandait :
« Tante Sylvie, je peux prendre de l'eau pour mon

auto ?... » C'était hier. Il souriait. Il avait, dans les yeux, cette joie fragile. Un petit oiseau... Il a ouvert la cage et il s'est enfui. Dans la nuit froide, dans la dure nuit de l'hiver. Jacques disait : pleurésie. Mais il va mourir, Sylvie !

Alors impuissante, accablée, elle serrait les poings. C'est trop bête...

Alphonse, sous le coup de l'émotion, était gris. Il les attendait sur le pas de la porte.

— Maâme, oh ! maâme, moi pas comprendre... moi grand coupable, aurais dû faire attention...

Il se lamentait et se maudissait, tordait l'une dans l'autre ses mains énormes.

— Raconte, Alphonse !

— Moi pas savoir, maâme ! moi être en haut, comme touzours... Puis descendre pour venir fermer la porte... Puis penser si li bien dormir et venir voir... Li parti, maâme ! Moi chercher partout, appeler partout, mais li pas être là, maâme ! Alors moi téléphoner... Ah ! maâme, moi coupable, vi !...

Il était en proie à une telle détresse que Sylvie eut pitié de lui.

— Non, Alphonse, tu ne pouvais pas deviner... Personne n'aurait pu penser à cela...

Ils entrèrent dans la maison, allèrent dans le living. Gambier alluma.

Le lit était défait. Le pyjama, sur le tapis, faisait un petit tas informe. Devant la cheminée, à côté de l'auto rouge — les pompiers, Sylvie — un livre d'images, ouvert...

L'impression de se trouver brusquement dans une pièce glacée, inhumainement vide. Un silence insolite, hostile, redoutable... Et tous, comme figés, sans un mot, ils regardaient le lit.

Puis Madeleine, sur ce lit, s'effondra d'un coup. Et elle pleura tout haut, à gros sanglots convulsifs, sans retenue.

— Ton avis, Philippe ? fit Jacques.

Ils étaient à présent réunis dans le salon. De force, presque, il avait fallu arracher Madeleine à sa détresse, l'asseoir dans un fauteuil. Elle restait là, prostrée, silencieuse, et ses joues tremblaient. L'horloge marquait huit heures.

— Mon avis ?

Gambier, debout devant la fenêtre, haussa les épaules. Il se retourna, regarda Jacques. Ce visage d'un homme qui était son ami, qui était un brave type, qui faisait un formidable effort pour dominer son inquiétude... « On le retrouvera, ce satané gosse, pensa Gambier, coûte que coûte !... »

— ...mon avis est qu'il ne sert à rien de se lamenter. Tâchons de raisonner. Il s'est sauvé, à ce qu'on peut déduire, depuis une heure tout au plus. Il ne peut donc — sans argent — être bien loin. Je crois que la première chose à faire est d'alerter la police ; la deuxième, de voir du côté de l'abbé Brun, on ne sait jamais... Tu ne crois pas, Jacques ?

Mais le docteur Charpentier, d'ordinaire si calme, si logique, si maître de lui, avait cette fois perdu pied. Il contemplait sa femme. Et il devait sans doute, lui aussi, se sentir vaguement coupable ! Gambier comprit que, pratiquement, il devait se débrouiller tout seul.

— Bon, fit-il, pas la peine de perdre son temps...
Voilà ce que je propose... Alphonse, sers-nous d'abord
un grand whisky, tu veux ? Merci... Madeleine et
Sylvie vont rester ici, d'abord parce qu'elles ne peuvent pas nous aider et qu'il faut quelqu'un pour le
téléphone. Toi, Jacques, tu viens avec moi : police et
puis orphelinat. Puis nous verrons bien !...

Il s'interrompit ; vida d'un trait le verre de whisky
qu'Alphonse lui présentait ; reprit :

— Allons-y, Jacques !... nous prendrons ta voiture,
mieux vaut laisser ici la 4 CV., on ne sait jamais...

Il embrassa Sylvie. Elle leva vers lui des yeux sup-
pliants.

— J'ai peur, Phil !

Il ouvrit la porte trop brusquement, agacé. Rien,
plus que le pessimisme, ne lui était insupportable.

Un instant plus tard, la Chevrolet démarrait. Gambier, d'autorité, avait pris le volant. Le long des bou-
levards, les trolleys des tramways crachaient de longues étincelles bleues. Machinalement, Gambier tri-
pota les boutons du poste de radio et la voix d'André
Claveau leur parvint :

...petits enfants perdus...

— Zut ! gronda Gambier, un esprit d'à-propos dont
on se passerait bien !

Il coupa la radio. Il était de mauvaise humeur. Il
était toujours de mauvaise humeur quand il se sentait impuissant, pris au piège par les événements. Il
avait conscience qu'il devait, qu'il devait absolument
retrouver le petit Pierre et que c'était impossible.
Pas la peine de te leurrer, Gambier ! C'est l'histoire

de l'aiguille dans la botte de foin... Va-t'en le déni-
cher dans cette ville immense, pleine de rues, de
ruelles, de coins et de recoins ! et en pleine nuit encore !... Il y a là-dedans un bon million d'habitants —
et tu espères y repérer un gaillard haut comme trois
pommes, sans avoir la plus petite indication qui te
mette sur la piste ? Hé ! Gambier, même un chien
policier y perdrait son flair !... D'ailleurs, on va voir
ce qu'ils vont dire, les gens de la police. Mais que
pourraient-ils dire ? « On va ouvrir une enquête...
on va faire des recherches... » Connu, ça ! Et demain,
à la radio, on lancera des appels. « Disparu, le nommé
un tel, âgé de, vêtu de, etc., etc... » Tu parles ! En
attendant, ce maudit gosse aura attrapé la mort. Il
n'y a pas huit jours qu'il avait une fièvre de cheval !
Si je le retrouve, tiens, qu'est-ce que je lui passerai !
Et les deux femmes, là, Madeleine et Sylvie, qui
s'attendent à ce que je le ramène sur un plateau d'argent... Au fond, bien sûr, elles savent que c'est impossible, mais elles s'y attendent quand même !...
Et Jacques ?

Gambier, du coin de l'œil, observa son ami.

Le docteur Charpentier, immobile, sourcils fron-
cés, regardait droit devant lui.

— Donne-moi une cigarette ! dit Gambier.

— Pardon ?

— Je dis : donne-moi une cigarette. Et change de
tête, Jacques, ça n'arrange rien !

Jacques esquissa un bref sourire.

— Excuse-moi, vieux. J'avoue que je suis K. O. !
Mais tu as raison, ça n'arrange rien... Ce qui m'inquiète, tu vois, c'est son état de santé.

Gambier prenait la cigarette, se penchait vers la
flamme de l'allumette.

— Oui, poursuivit Jacques, par ce temps, cela équivaut presque à un suicide... Et je me demande bien...

— Tu te demandes quoi ?

— Où il a pu aller...

Gambier dut faire un effort pour se contenir. Malin, ça !... si on le savait, où il a pu aller, il n'y aurait plus de problème !

Jacques devina-t-il la pensée de Gambier ?

— Idiot, évidemment ! fit-il. A la grâce de Dieu...

Une petite pièce d'une netteté douteuse, meublée d'une table de cuisine et de trois chaises dépareillées. Suspendue à un fil, sous son abat-jour de porcelaine en forme de disque, une ampoule électrique répand une lumière jaunâtre. Dans un coin, près de la fenêtre, un vieux poêle cylindrique, haut, noir, qui ronronne comme un chat. Aux murs, des affiches fixées par des punaises, barbouillées de cachets à l'encre grasse. Il y a aussi, à côté de la porte, un portemanteau de Prisunic, avec des crochets en fer ; il y pend des pèlerines, un casque blanc et un ceinturon. Et derrière la table, se balançant sur sa chaise, un agent de police. Un gros, tout rouge, tout chauve. Il a dégrafé son col. Il a l'air de s'ennuyer mortellement et, quand Jacques et Philippe sont entrés, il s'est empressé de faire disparaître quelque chose dans le tiroir de la table. Sûrement des mots-croisés ! Puis il s'est levé. Il a toussé deux ou trois fois. Il s'est rassis en invitant ses visiteurs à en faire autant. Il a essayé, mine de rien, mais sans succès, de refermer l'agrafe de son col. Il a pris une grande feuille de papier à en-tête : COMMISSARIAT DE POLICE - 12ᵉ DIVISION. Il a encore toussé.

— Hum… heu… vos nom, prénoms, domicile et qualité…

Inutile de s'énerver. Il est là pour ça, cet homme. Le règlement c'est le règlement, et quand c'est aux autos de passer, etc… On ne lui demande pas d'être intelligent. On lui demande d'obéir, de connaître le règlement et d'avoir, éventuellement, une belle écriture. Il a d'ailleurs une belle écriture. Il écrit lentement, pesamment. Il s'applique ; c'est tout juste s'il ne tire pas la langue. Son rôle n'est pas d'inventer la poudre ni d'intercepter la fine fleur des gangs internationaux. A chacun son métier. Les gars subtils, on les occupe à autre chose : ils ont des bureaux, des vrais bureaux ; des fichiers, des dossiers, des téléphones, des instruments modernes et tout un arsenal à leur disposition. Lui, le gros flic, il gagne sa croûte en attendant l'âge de la retraite. En remplissant des formulaires, inlassablement. Le plus curieux, c'est que ces formulaires serviront à quelque chose. Ils suivront la voie hiérarchique. Alors tout commencera. Mais il faut un début à tout, n'est-ce pas, Gambier ? Non, ce n'est pas la peine de t'énerver. Il faut répondre aux questions rituelles et décliner tes nom, prénoms, domicile et qualité… Très bien. Au suivant.

— Vous dites Charpentier Jacques, docteur en médecine…

La plume grince. Le poêle ronronne. Inouï ! Inouï, ce bon gros type pacifique, dans ce décor courtelinesque, dans cette odeur de vieille pipe, qui écrit gravement des choses sans importance alors que le petit Pierre… Et si on le secouait brusquement ! si on lui criait qu'il faut faire vite, vite, vite ! parce qu'un gosse va mourir ?… Faire vite quoi ? Courir où ?

Chaque chose en son temps, Gambier ! Le règlement,
c'est le règlement...

— Voilà ! disait le gros homme.

Et il séchait soigneusement la feuille avec un
grand buvard vert. Il toussait encore.

— Oui, disait-il, oui... je vois...

Il hésitait. Il se décidait tout à coup.

— Je vais téléphoner au Central, messieurs... à
mon avis, il faut déployer le dispositif d'alerte !

Déployer le dispositif d'alerte ! Gambier, au pas-
sage, admira le choix des termes. Puis un remords lui
vint, d'avoir sous-estimé, peut-être, ce brave homme
qui était devant lui. Ce brave homme de flic, qui
d'un geste allait faire déferler sur toute la ville, des
dizaines de voitures, de motos, de patrouilles... Ce
brave homme, oui, qui avait sans doute des enfants ;
qui comprenait...

Qui disait :

— Ces gosses, hein ? Vous savez, docteur, on va
sûrement le retrouver...

Il avait un bon sourire. Il décrochait le récepteur,
formait un numéro :

— Allô ? ici 12ᵉ Division, Nᵒ 1215, j'ai devant moi...

Inouï. Inouï qu'un brave homme, accoudé à une
table de cuisine, puisse ainsi... Gambier, assis près
du poêle, avait chaud. Un brave homme qui allait, à
la recherche de l'enfant perdu, lancer un formidable
déploiement de police...

Il raccrochait, souriait encore, disait :

— Heu... avec un peu de chance... vous me laissez
votre numéro de téléphone ?...

Jacques et Gambier sortaient du Commissariat. Une
petite pluie s'était mise à tomber.

— Avec un peu de chance..., répétait Jacques.

Gambier ne répondait pas. Il s'installait au volant,

débrayait, démarrait. Une sorte de joie lui venait.
Un brave homme pas très intelligent, qui remplissait
des formulaires, qui était tout-puissant...

Ce sacré gosse, quand même !

— Chez l'abbé Brun, à présent !

*
**

Attendre... C'est une chose terrible. On passe sa
vie à attendre quelque chose. A attendre le soleil ou
la pluie, les vacances, le tramway au coin de la rue, le
retour des uns ou le départ des autres, la fin du mois
et le début de l'an prochain. Les enfants attendent
d'être grands, les malades d'être guéris, les vieillards de mourir. Au fond, on passe sa vie à attendre
que la vie passe !

Sylvie frissonna. Idiot, pensa-t-elle, ce sont des pensées idiotes, d'une littérature facile et qui ne signi-
fient rien. Ce n'est pourtant pas le moment de se
laisser aller !

Dans le salon, l'abat-jour en toile de Jouy répan-
dait une douce lumière. Sur la cheminée, la pendule
en faux Louis XVI faisait son tic-tac : un petit bruit
monotone, agaçant, qui faisait penser à une têtue
voracité d'insecte. Quelque part, au loin, une cloche
d'église sonna. Sylvie, machinalement, compta les
coups : un, deux, trois, quatre... neuf coups. Neuf
heures.

Assise dans le fauteuil, Madeleine demeurait silencieuse. Dans la pénombre, ses cheveux luisaient doucement. Son profil très pur, très pâle, se découpait
sur l'étoffe sombre du dossier. Elle attend, elle aussi...
Elle écoute, dans la pendule, la petite bête obstinée

qui découpe le temps en secondes, en minutes, en heures... Tic-tac, tic-tac, tic-tac... Un beau bonheur tout rond, Madeleine. Il avait la couleur irisée de l'espoir. Il a éclaté d'un coup. Qu'est-ce qu'elle attend, Madeleine ? Que Philippe et Jacques retrouvent le gosse ? C'est comme si on leur demandait de ramener la lune... Peu importe, elle attend. C'est normal, c'est humain. Sylvie a connu cela, déjà... Les gens, dans la salle d'attente, ne s'en allaient pas. On leur avait dit pourtant que l'avion était tombé ; on leur avait donné des détails : à quelle heure, à quel endroit exactement et que, hélas ! tout espoir était vain. Ils le savaient. Mais ils restaient là, bêtement, avec un visage morne et une immense stupeur incrédule au fond des yeux. Ils attendaient. C'était ridicule et atroce.

Ainsi, Madeleine attend. Elle attendra là toute la nuit s'il le faut, et demain, et encore après-demain, jusqu'à ce qu'elle le retrouve — ou jusqu'à ce qu'elle voie, de ses yeux, que...

Que quoi, Sylvie ? Ce n'est pas tout à fait la même chose que l'histoire de l'avion, parce qu'ici on peut tout de même espérer ! Se tuer, Pierre ? Non, non, Sylvie... une chance pour, neuf chances contre ! Un accident ? C'est tout aussi improbable. D'ailleurs le premier soin de la police aura été d'alerter les hôpitaux : on le saurait ! Alors ? Alors rien. Il faut attendre.

Elle soupirait, allumait une cigarette, tendait le paquet à Madeleine qui se contentait, en signe de refus, de secouer la tête.

Tic-tac, tic-tac, tic-tac... C'est un bruit insupportable, oui. J'ai envie de l'arrêter, cette pendule ! Mais ce serait, évidemment, parfaitement ridicule. Une chance pour, neuf chances contre... Oui, mais ce

n'est pas un gosse comme les autres. Même quand il
rit, cette tristesse demeure dans ses yeux. Tout ça
parce qu'il a peur, parce qu'il ne veut pas qu'on l'en-
ferme, parce qu'il a faim d'amour... Et voici que ce
soir où on lui apportait cet amour, cette liberté retrou-
vée, cette délivrance... Il n'est plus là. Il s'est enfui.
Exactement comme un type qui serait sur le point de
se noyer, qui serait à bout de forces et de courage, et
qui se laisserait couler au moment précis où quelqu'un, de la rive lui jette la bouée... C'est trop bête ;
c'est à se lancer la tête contre un mur ! Il s'est enfui.
Il s'est laissé couler dans la nuit, dans la nuit glaciale,
dans la nuit sans fond de sa détresse. Trop tard, Sylvie !

Elle se leva, brusquement.

— Ecoute, Madeleine, on ne peut pas rester là
comme ça, à ruminer des idées noires ! Faisons n'importe quoi, mais faisons quelque chose... ou je sens
que nous allons devenir folles !

Elle tourna le commutateur et la lumière du lustre
jaillit, abondante.

— Là ! on voit déjà plus clair ! Si Philippe télé-
phonait, au moins, au lieu de nous laisser moisir sans
rien savoir !

Madeleine passa la main sur son visage, regarda
Sylvie.

— S'ils ne téléphonent pas, dit-elle, c'est qu'ils
n'ont rien à dire... C'est bête, hein ?

— Oui, c'est bête, mais enfin soyons logiques : il
est évident qu'on le retrouvera, bon Dieu ! Ça ne se
volatilise pas, un gosse !

— Ça ne se volatilise pas, non... mais... j'ai peur,
tu sais !

Elle avait un sourire navrant ; elle avalait avec
peine sa salive. Evidemment, elle y pensait aussi, à

cela ! Sylvie, brusquement furieuse, frappa du pied :

— Non, Madeleine ! je refuse d'y croire ! Jacques
l'a dit lui-même, et il s'y connaît, un enfant ne se
tue pas ! D'ailleurs, il a reçu une éducation reli-
gieuse... Je n'y crois pas, je ne veux pas y croire !

— Le désespoir, parfois...

— Non ! à neuf ans, tu te rends compte ? Rien,
dans son comportement n'a pu laisser prévoir qu'il
nourrissait cette idée. Il n'avait qu'une seule idée :
ne pas retourner à l'orphelinat. De là à vouloir mourir...

— Qu'en sais-tu ?

— Mais... Je n'en sais rien ! Je sens cela. Je sens
que c'est impossible, oui, impossible !...

Elle se tut. Qu'en sais-tu ? disait Madeleine. Elle
avait raison. On ne pouvait pas savoir. On ne peut
jamais savoir le secret des êtres. On croit, on suppose, on suppute... Et quand une pensée vous gêne,
vous la rejetez tranquillement, sans raison valable,
en disant : je ne veux pas y croire, c'est impossible.
Tu es irritée, à présent, Sylvie. Tu es irritée parce
que cette pensée que tu as eue, qui te gênait, que tu
avais écartée, délibérément, voici que tu la re-
trouves en Madeleine. Tu es irritée comme quelqu'un qui voudrait fuir son visage et qui serait enfermé dans une pièce tapissée de miroirs. Une solution : ferme les yeux. Mais alors il y a le miroir du
souvenir, le plus cruel.

— Madeleine...

— Oui ?

— Toi, tu crois vraiment que...

Madeleine hausse lentement les épaules :

— Non, pas vraiment. Je suis comme toi, je ne
peux m'empêcher d'y penser, mais cela me paraît si
insensé, si injuste, si monstrueux, que je ne puis

l'admettre... Le bon Dieu, Sylvie, ne peut pas permettre de telles choses !

Le silence. Tic-tac, tic-tac, tic-tac, fait l'horloge dans le silence. Où est-il ?

Madeleine dit :

— Mais même, Sylvie, par ce temps, après ce qu'il a eu...

Elle se tait parce que sa voix tremble et qu'elle ne peut plus prononcer les mots. Le silence se referme. Puis la sonnerie du téléphone éclate et brise ce silence.

— Madeleine...

— Non vas-y, toi... je t'en prie !

Sylvie décrocha :

— Allô ?... allô, oui ?... que dis-tu ? ah ! bon... non, rien de spécial... et Jacques ?... oui... Tu crois ?... bon... oui, Phil...

Elle raccrocha.

— Rien, dit-elle, ils sont chez l'abbé Brun, qui, naturellement, est bouleversé. La police a déjà commencé les recherches. Il faut attendre !

— Et eux ?

— Jacques et Philippe ? ils vont... ils vont chercher de leur côté...

— Où ça ?

Sylvie détourne les yeux :

— Je ne sais pas, les hôpitaux, à tout hasard... Dis, Madeleine, viens avec moi à la cuisine, il te faut manger quelque chose !

Cette petite pluie froide... On ne voit pas le ciel,

mais seulement, du côté de la ville, une vaste lueur rougeâtre.

— Alors ? dit Gambier.

Jacques, en signe d'impuissance, hausse les épaules.

— Je ne sais pas... Ce serait un miracle, hein ? L'abbé t'a donné l'adresse du gosse ?

— L'adresse à laquelle il habitait avec ses parents ? oui... Tu penses qu'on ferait bien d'aller jusque-là ? tu y crois ?

— Non, mais il ne faut rien négliger. Après, on retournera voir au Commissariat, puis on verra les hôpitaux... Quelle heure est-il ?

— Neuf heures vingt... Pourquoi ?

— Parce que ça fait à peu près deux heures qu'il est sous la pluie, tu comprends ?

— Oui, à moins qu'il n'ait trouvé un refuge. Dieu sait où ! Je vais te dire une chose, Jacques : j'ai, bêtement, le pressentiment que tout ça va s'arranger...

— Ah oui ? le Ciel t'entende ! On verra bien... en route, vieux !

La voiture démarra. Les essuie-glace découpèrent sur le pare-brise, deux triangles clairs. Allons-y voir, pensait Gambier, à cette adresse ; mais je parie à un contre mille qu'il n'y est pas. Où il est, par exemple, je n'en sais rien ! Mais je jurerais que nous pataugeons dans un drame qui n'en est pas un, et qu'on va le retrouver, ce gosse de malheur, tout soudain, là où on s'y attend le moins ! Une impression, évidemment, et qui ne repose sur rien... Un miracle, dit Jacques. Et pourquoi pas ? Des faiseurs de miracles, j'en connais au moins deux : Dieu et Sylvie ! Celle-là, d'ailleurs, ça ne m'étonnerait pas que son flair, tout à coup...

CHAPITRE IX

Dans la cuisine, sous la lumière brutale du néon, Sylvie et Madeleine buvaient à petits coups leur café. Alphonse, assis sur la poubelle à couvercle, épluchait silencieusement des pommes de terre. Il avait, selon son habitude, emprunté un des tabliers de Sylvie ; un court tablier bleu à petites fleurs blanches, bordé d'un volant coquet. Sans lever le nez, il roulait des yeux effarés. Il avait l'air d'un clown triste. De temps à autre, il soupirait à fendre l'âme. Puis il renifla bruyamment.

— Alphonse, fit Sylvie, irritée, tu ne pourrais pas cesser d'émettre des bruits incongrus, non ?

Alphonse baissa davantage la tête.

— Moi si triste, maâme !

— Ce n'est pas une raison !

— Laisse-le, dit Madeleine, tu vois bien qu'il est malheureux.

Il s'était attaché à Pierre, lui aussi.

— Oh ! vi, maâme... moi beaucoup aimer li !

Nous grands amis, moi pas comprendre pourquoi li
parti !

— Parce qu'il craignait qu'on le renvoie à l'orphelinat, Alphonse...

— Vi, moi sais ! mais pourquoi li pas dire à
moi ? Encore tantôt li et moi aller faire les courses...
Li rire et être content... Moi jamais me douter que
li se sauve !

Il hochait la tête. Que Pierre ait pu s'enfuir ainsi
sans crier gare, dépassait son entendement. Il avait
vaguement l'impression d'une inexplicable trahison.

— Non, continuait-il, moi jamais me douter de
ça, moi me faire rouler comme... comme un nigaud !

Sylvie écoutait distraitement. La police commence
les recherches, avait dit Philippe. Oui. Mais la police n'a pas le don de divination et, dans la nuit, elle
n'y voit pas plus clair que moi. Elle ne trouvera
rien, la police ! et d'autant moins que Pierre n'est
pas idiot et qu'il tournera les talons dès qu'il aper-
cevra un casque blanc... Les hôpitaux ? Mais cela
voudrait dire qu'il est blessé, qu'il est peut-être...
Il ne faut pas penser à cela. Il faut surtout ne
pas penser à cela. D'ailleurs, en toute logique,
c'est improbable. Ce qui est vraisemblable, c'est qu'il
s'est sauvé, sans réfléchir, comme un petit animal
traqué, sans savoir où aller. Comme il s'est enfui, la
première fois, de l'orphelinat. A l'heure qu'il est, il
doit errer sans but dans les rues, dans la nuit. Il
marchera jusqu'à ce qu'il soit à bout de forces. Et
puis ? Et puis il ira s'abattre quelque part. Ou bien,
quand le jour se lèvera, il comprendra qu'il ne peut
vraiment s'enfuir. Que fera-t-il alors ? Se laissera-
t-il reprendre ? Ou bien, éperdu, aveuglé par sa
peur, se laissera-t-il aller à l'irréparable ?... « Je ne
veux pas retourner là-bas, tante Sylvie ! » Une idée

fixe, il fera n'importe quoi, plutôt que de retourner
là-bas. N'importe quoi... Tu te souviens, Sylvie, de
ce Jean Lucas, dont Philippe t'a parlé un jour ? Un
grand diable qui riait toujours, une sorte d'aventu-
rier sympathique. C'était pendant la guerre. Il se
chargeait toujours des missions les plus périlleuses.
Sa témérité frisait l'inconscience. Quand on le lui disait, il haussait les épaules. Il avait son rire d'enfant : « Puisque je vous dis qu'ils ne m'auront pas ! »
Puis un matin, au-dessus de Cologne, son avion a
explosé. Il est descendu en parachute. A quoi pensait-il, alors ? Les fantassins allemands se sont pré-
cipités vers lui. Et lui, debout, tout seul en pays
ennemi, il les a reçus à coups de revolver. « Ils » ne
l'ont pas eu. Ils ont ramassé un cadavre percé de
balles, qui n'était plus ce fou de Jean Lucas...

Tu te souviens, Sylvie ?

Il disait : puisque je vous dis qu'ils ne m'auront
pas !...

Et Pierre : je ne veux pas retourner là-bas, tante
Sylvie !...

La même volonté absurde et farouche, la même
flamme au fond des yeux, la même inconscience...

— ...et li drôle, tu sais, maâme, continuait Alphonse
à l'adresse de Madeleine, li toujours vouloir des
choses drôles... Tout à l'heure, li vouloir moi le conduire à l'arrêt du tram... Li dire à moi : « Quand
on n'a pas d'argent, c'est facile, hein, Alphonse, on
suit les rails !... » Puis après, avant d'aller au lit, li
vouloir zouer au tram... Li tout zoyeux ! tu sais,
maâme...

Tu entends, Sylvie ? Elle écoute vaguement. Elle
n'y prête pas attention. Pourtant, tout à coup, elle
tressaille. Les mots lui parviennent lentement, comme
à travers un grand brouillard opaque. Les mots peu

à peu prennent poids, prennent forme, se soudent
entre eux... Tu entends, Sylvie, ce qu'il dit, Alphonse ?... « C'est facile, hein... on suit les rails... »
Les rails, Sylvie !

Brusquement, elle sent qu'elle est sur la piste,
qu'elle va comprendre... C'est, en elle, un choc si violent qu'elle chancelle.

Ressaisis-toi, Sylvie ! Fais un effort, réfléchis... Il
faut, il faut que tu comprennes. Les rails... Pourquoi
as-tu tressailli ? Alphonse épluche les pommes de
terre et parle comme pour lui tout seul. Madeleine,
assise à la table, la tête entre les mains, écoute. Ils
ne savent pas. Ils ne se doutent de rien. Mais toi,
Sylvie, tu as reçu un choc. C'est comme un signal
d'alarme, qui soudain a retenti en toi... Concentre-toi,
Sylvie ! Tu vas comprendre ; tu « brûles », Sylvie !

Elle ferma les yeux. Les rails... Les rails, oui. Les
rails du tram...

Pierre disait : ...on voit son numéro, c'est le 23,
c'est celui qui passe près de chez nous !

Il disait : ...tu peux voler jusqu'au cimetière, oncle
Philippe ?...

Oui, Sylvie, oui !

Elle rouvrit les yeux. Un tel espoir, une telle impa-
tience étaient en elle qu'elle s'était mise à trembler.

— Alphonse, quel arrêt ?

— Je... pardon, maâme ?

— Tu as dit qu'il avait voulu aller jusqu'à l'arrêt
du tram... quel arrêt ?

— Mai l'arrêt rue des Tilleuls, maâme... pourquoi
toi veux...

Tu vois, Sylvie !

Elle n'écoutait plus. Elle était sûre, à présent, sûre
que... Vite !

— Madeleine, dit-elle, viens ! dépêche-toi !

— Mais...

— Non, ne me demande rien... j'ai une idée... Habille-toi, vite, vite !

Déjà, elle courait dans le hall, décrochait son manteau et Madeleine, interdite, la suivait.

— Alphonse, cria-t-elle, nous revenons tout de suite !...

Alphonse, stupéfait, son couteau à la main, son petit tablier bleu sur le ventre, avait un air si ahuri qu'elle pouffa de rire.

— Salut, Alphonse !

Puis elle redevint sérieuse :

— ...Et merci !

⌈ * ⌉
* *

Cette petite pluie froide... « Il faut toujours, obligatoirement, laisser chauffer le moteur » recommandait Philippe. Tant pis ! pensa Sylvie, et elle démarra sans attendre.

C'était l'évidence même ! Il avait suivi les rails du 23, à pied. Au moins six kilomètres... Pourquoi ? Parce que tout être humain, quand il touche le fond de l'abîme, crie maman. Il est allé vers sa maman ; vers sa maman qui est morte, qui est couchée sous la terre grasse, mais qui demeure quand même sa maman. Quand plus rien n'existe, quand tout se détruit, se défait, quand le désespoir emporte à la dérive le cœur des hommes, un mot, du fond d'eux-mêmes, monte à leurs lèvres : maman. Un mot qui est un visage et un souvenir ; un mot qui contient toute la générosité, toute la bonté, tout le pardon du monde. Les pauvres dans leur taudis, les riches dans leur palais, quand ils ont très mal, ils disent : maman.

Lui, il a suivi les rails. Il a obéi à son instinct. Et
ensuite ? Il ne s'est pas posé la question. Quand on
souffre, on ne se pose pas de questions. On va vers
le refuge, simplement.

Le moteur grondait. On voyait briller sur le sol,
entre les pavés, les rails parallèles. Feu rouge — feu
vert, Sylvie, machinalement, accomplissait les gestes.
Elle était sûre qu'elle ne se trompait pas. Une joie
forte la soulevait.

— Sylvie, demandait Madeleine, me diras-tu enfin ?

— Non ! tu verras, tu verras...

Elle ne voulait rien dire. Il lui semblait que les mots
pouvaient rompre le charme, empêcher le miracle.
Il ne faut pas parler. Il faut se hâter. Il faut arriver
à temps. Il ne faut pas dire le secret : ce serait trop
affreux, Sylvie, cette fausse joie, si malgré ta certitude, tu te trompais...

Et, Madeleine, merveilleusement intuitive, n'insis-
tait pas.

Sous la pluie, la banlieue est triste. Plus pauvres,
plus rares sont les lumières. Une grande affiche de
Coca-Cola met une tache claire, là, sur le mur noir
de la maison. Puis voici le carrefour et les rails se
séparent : deux vont à gauche, deux vont à droite.
A-t-il hésité ? Oui, sûrement, il a attendu sur le trot-
toir, peut-être longtemps, que survienne le 23. Il aura
vu le feu rouge se fondre, disparaître dans la nuit.
Il s'est remis en marche. Il est loin, le cimetière ! Il
y a cette longue route droite, large, obscure. De temps
en temps, un chien aboie. A-t-il eu peur ? Le vent se
fâche et secoue les branches des arbres. Il pleut toujours. La route monte durement et Sylvie doit passer
en seconde. Puis au sommet de la côte, à gauche, il

y a un long mur bas, fait de gros moellons. C'est le
mur du cimetière.

— La grille est sûrement fermée, dit-elle, il faudra escalader le mur.

La grille, en effet, était fermée. Elles découvrirent
un endroit où le talus, très relevé, leur permettait de
se hisser sans grande peine au haut du mur. L'une
après l'autre, elles prirent appui sur les pierres. « Par
ce temps, pensa Sylvie, on va être jolies !... et pourvu
que personne ne nous aperçoive... » Elles se laissè-
rent glisser de l'autre côté du mur, haletant un peu.
Il faisait un noir d'encre. Une voiture passa sur la
route, éclaira faiblement le paysage. Elles distinguè-
rent les allées droites, les pelouses, le symétrique ali-
gnement des tombes... Sylvie, mal à l'aise, avala sa
salive, réalisant tout à coup qu'elle se trouvait en
pleine nuit au milieu d'un cimetière. Malgré elle,
elle fit la grimace. Bien sûr, il n'y a aucun motif
sérieux d'être inquiète, mais tout de même... Pourvu,
au moins, pourvu qu'il soit là !

On apercevait, çà et là, la masse sombre des thuyas.
Le vent sifflait à travers les feuillages. Sylvie, hési-
tante, marcha sur une branche tombée et cela fit, dans
le silence, un bruit qui leur parut formidable. Elles
s'immobilisèrent, le cœur battant.

— Doucement, murmura Madeleine, s'il entend du
bruit, il va se sauver... Marchons sur les pelouses...
tu sais où elle est, sa maman ?...

Non, elle ne savait pas. Elle recommença, néanmoins,
d'avancer au hasard, prudemment, se fiant à son étoile.
De quoi avons-nous l'air, pensa-t-elle, toutes les deux,
à patauger en pleine nuit dans un cimetière, avec nos
hauts talons et nos bas Nylon !... Comme des chas-

seurs à l'affût... Tout ça pour attraper un pauvre
petit oiseau blessé... Elle entendait, derrière elle, respirer Madeleine.

Leurs yeux, peu à peu, s'accoutumaient à l'obscurité.
Elles distinguaient à présent, sur les pierres grises des
tombes, les couronnes en porcelaine polychrome ; les
inscriptions en lettres dorées ; les croix de fer forgé.
Elles avaient l'impression désagréable de s'introduire
en fraude dans un royaume interdit ; de troubler,
peut-être, le repos sacré des morts... Et cette pluie qui
ne cessait pas... Tous ces crânes, tous ces squelettes
qui dorment côte à côte, sous la terre, sur lesquels
on marche... Dans le silence, tout à coup, une cloche
sonna.

Madeleine saisit le bras de Sylvie, et Sylvie faillit
crier d'effroi.

— Tu crois, souffla Madeleine, tu crois qu'on fait
bien de continuer ?

Ainsi, elle avait peur, elle aussi ! Sylvie hésita, fit
un effort sur elle-même, haussa les épaules. Peur de
quoi ? C'est de la suggestion, tout ça ! Elles n'allaient tout de même pas, toutes deux, se mettre à
croire aux revenants !

— Des bêtises ! murmura-t-elle, je suis sûre qu'il
est ici... viens, suis-moi...

Elles se remirent à marcher en se tenant par la
main. Parfois elles devaient franchir une allée et le
gravier crissait sous leurs pas. Sylvie avait froid. Ses
cheveux trempés de pluie lui collaient au front. Elle
sentait l'eau qui lentement lui coulait dans le cou.

Royaume interdit. Royaume de la mort et du silence... Rien ne bouge. Une muette rigidité pèse sur
toutes les choses. N'est-ce pas les âmes qu'on entend
chuchoter, là-bas, près des trois saules qui pleurent
éternellement ? Qui sait le secret de la nuit ? Qui

sait le secret des âmes errantes ? Royaume de la
nuit... Toi, vivante, avec ton amie vivante, que fais-
tu là ? De quel droit oses-tu profaner le funèbre jardin de notre paix ? Royaume des ombres retournées
à Dieu... De quel droit oses-tu troubler le terrestre
enclos de Dieu ? Toi, vivante, toi, bruyante, avec tes
hauts talons insolents...

Sylvie... L'angoisse l'étreignit. Elle fut sur le point
de faire demi-tour, de courir, de se sauver. Elle regarda Madeleine. Elle vit ce visage livide, accroché
à elle comme à une bouée. Comme les passagers de
l'avion, Sylvie, quand ils ont peur. Il faut les rassu-
rer, les apaiser, leur donner ton sourire.

Courage, Sylvie !

Elle murmura :

— Courage, Madeleine !...

C'est idiot. C'est de la mauvaise littérature d'épouvante. Ce qui est vrai, c'est que Pierre est sûrement
ici, en train de se laisser geler, et qu'il faut le retrouver au plus vite ! Mais il est bougrement grand,
ce cimetière, et je commence à me demander...

Elle s'immobilisa brusquement. Il lui sembla que
son cœur s'arrêtait de battre. Une joie terrible ; une
joie si violente qu'elle faisait mal... Ça y est, c'est
le miracle ! Je le savais ! Oh ! merci Jésus !...

Il était là, debout, immobile au milieu de l'allée.
Une petite silhouette noire. Et Sylvie n'osait plus
bouger. Qui sait s'il ne suffirait pas d'un geste, d'un
mot pour briser le miracle ?...

Puis il y a, en elle, un immense élan d'amour.
Pierre, mon petit ! Elle va se jeter vers lui, le prendre contre elle, ôter de lui le froid et la pluie et la
douleur... Elle va...

Non, non... il ne faut pas...

— Va, Madeleine, dit-elle, vas-y, toi !

Madeleine fait quelques pas dans l'allée. Il ne bouge pas. Il n'entend pas.

— Pierre ! dit Madeleine.

Sa voix résonne bizarrement dans le silence.

Il se retourne d'un bloc. Il oscille comme s'il allait tomber. Il a un geste pour fuir.

— Pierre, dit Madeleine, c'est moi, Pierre...

— C'est toi, tante Madeleine ?

— Oui, Pierre...

Alors, il y a un grand sourire subit sur le visage de l'enfant. Un sourire émerveillé. Un vrai sourire de bonheur.

— Tante Madeleine ! crie-t-il.

Et il court vers Madeleine qui l'attend, les bras ouverts.

Madeleine le tient serré contre elle. Elle rit et elle pleure. Lui aussi, il rit et il pleure.

— Petit sot, dit-elle, tu es un petit sot, hein ? En voilà des manières... Et tu es tout mouillé... Tu as eu froid ? Est-ce que tu as eu froid, dis, mon chéri ?...

Il ne dit rien. Il se laisse faire. Il gémit comme un petit chien.

— Comment tu savais que j'étais ici ?

Madeleine regarde Sylvie. Mais Sylvie dit, très vite :

— Voyons, Pierre, tu ne sais pas qu'elle t'aime, tante Madeleine ? Quand on aime son... son petit garçon, on le retrouve toujours, tu vois... Et maintenant, à la maison !

Dans la voiture, Pierre demeure blotti contre Ma-

deleine. Il s'est laissé emmener sans résistance.
Devine-t-il qu'il n'y a plus lieu, à présent, d'avoir
peur ?

Sur le sol, entre les pavés, luisent les rails parallèles.

Les essuie-glace font leur bruit.

— Pierre, dit doucement Madeleine, ça te plairait
de rester avec moi, toujours ?

Dans le rétroviseur, Sylvie voit le visage de Pierre.
Un petit visage pâle, que l'émotion contracte, qui
n'ose y croire encore...

— Toujours ?...

— Oui, toujours ; comme si tu étais mon petit
garçon ; comme si j'étais... un peu... ta maman...

Il ne répond pas. Il ne trouve pas les mots. Ce
qu'il éprouve, d'ailleurs, se situe bien au delà des
mots. Il se met brusquement à genoux ; et il embrasse
les mains de Madeleine, de toutes ses forces, frénétiquement, de tout son petit cœur enfin délivré.

— Mon chéri, dit Madeleine.

Et Sylvie renifle bruyamment, comme Alphonse
tout à l'heure ! A-t-on idée, je vous le demande, de
pleurnicher ainsi ? Elle est furieuse contre elle-
même. Mais c'est plus fort qu'elle, elle pleure !
Alors, à tout hasard, elle envoie un grand coup de
klaxon dans la nature. Puis elle se met à rire, soulagée.

— Dis donc, Madeleine, c'est plutôt marrant, tu
ne trouves pas, nos hommes qui ont alerté toutes
les polices ? Ce cher Philippe...

Elle était ravie. Ce cher Philippe si logique, si
rationnel, si intelligent, si sûr de lui, si tout et tout
— qui, comme toujours, s'était fait damer le pion
par sa douce fofolle de femme !

Elle était ravie. Elle appuyait joyeusement sur l'accélérateur. Ce pauvre cher Philippe, qui continuait de patrouiller dans la nuit — logiquement, rationnellement, intelligemment — comme un grand innocent !

CHAPITRE X

On avait donné à Pierre un grand bain chaud. Il avait bu un énorme bol de lait brûlant. On l'avait installé dans un fauteuil du living, emmitouflé dans une couverture. Dans l'âtre, Alphonse avait allumé un joyeux feu de bûches.

Le petit, heureux, riait de toutes ses dents.

— C'est vrai, dis, qu'on ne me reconduira plus à l'orphelinat ?

Au moins dix fois qu'il avait posé la question ! Madeleine et Sylvie avaient dû jurer, sur leurs têtes et celles de leurs maris, que c'était vrai... A présent, tout à fait rassuré, il se laissait aller à son bonheur.

— Dis, tante Sylvie, tu viendras me voir souvent ?

— Bien sûr ! et toi aussi, tu viendras me voir !

— Dis, tante Sylvie, je pourrai prendre mon auto ?

— Mais oui ! et ton uniforme de pompier !

— Dis, tante Sylvie...

Il n'avait jamais tant parlé ! Il s'était, d'un coup, débarrassé de cette espèce de prostration qui pesait sur lui. Il était redevenu un enfant.

Un peu plus tard, Philippe téléphona pour annoncer, sur un ton de fin du monde, qu'ils étaient bredouilles et qu'ils devaient bien se résigner à rentrer.

— Je t'assure, bébé, on a fait tout ce qu'on a pu, on n'a rien négligé...

Sylvie dut faire appel à toute sa science de la comédie pour répondre, sur le même ton, que c'était épouvantable, qu'elle comprenait ; que demain peut-être...

Elle dansait de joie en revenant dans le living.

Deux minutes après, Jacques et Philippe étaient là. Sylvie alla ouvrir elle-même, mais en prenant soin de ne pas allumer la lampe du hall, afin qu'ils ne voient pas son visage rayonnant.

Ils avaient tous deux un air tragique.

— Mon pauvre bébé, dit Gambier.

— Madeleine ? demanda Jacques.

Ils étaient blêmes de fatigue, de froid et d'inquiétude. Sylvie jugea que la comédie avait assez duré.

— Tu n'aurais pas une tasse de café bien chaud ? fit Gambier.

Puis, attiré par la lumière, il se dirigea vers le living.

Il y demeura pétrifié, bouche ouverte, les yeux ronds. Visiblement, il devait se demander s'il ne rêvait pas ! Mais... pas possible... ! c'était sûrement un mirage !

— Bonsoir, oncle Philippe ! fit le mirage en agitant la main, tu as fait une bonne promenade ?

Gambier, sidéré, se tourna vers Sylvie. Elle lui éclata de rire au nez et lui sauta au cou.

— Phil ! Ah ! Phil de mon cœur, tu ne t'attendais pas à ça, hein ? Avoue que tu as une petite femme épatante ?...

Jacques, de son côté, n'en revenait pas davantage.

Mais, chez lui, le réflexe professionnel joua et il
s'approcha de Pierre, le regarda attentivement, le
tâta...

— Non, disait le petit en hochant la tête, non, je
ne suis plus malade... J'avais mis mon écharpe, tu
sais !

Gambier se laissa tomber dans un fauteuil.

— Ça alors ! non, j'avoue que je ne m'y attendais
pas ! Quand je pense que nous nous baladions dans
les rues, Jacques et moi, comme deux idiots... Vous
auriez tout de même pu nous prévenir, non ?

— Te prévenir comment, mon doux amour ? par
radio ? par télépathie ? Va donc plutôt prévenir la
police, afin qu'elle arrête ses recherches !

— C'est vrai, la police ! Mais dites-nous d'abord
comment...

— Non, on vous racontera tout à l'heure... Va téléphoner, te dis-je ! et puis tu auras ton café...

Gambier s'exécuta.

— Madeleine, demanda Jacques, tu... tu lui as
dit

— Quoi ?

— Bien... que nous... qu'il

— Que j'irai habiter avec vous ? interrompit
Pierre. Oh ! oui... Je suis content, tu sais ! Mais tu
veux bien, oncle Jacques ?

Emu, le docteur Charpentier se gratta la nuque. Il
regarda sa femme, toute rose de bonheur. Puis il se
tourna vers le petit.

— Hé, bien sûr, que je veux bien ! D'ailleurs, moi
je...

Il sentit que l'émotion le gagnait, qu'il allait ba-
fouiller. Il tourna court :

— Sylvie..., donne-moi donc ce café, tu veux ?

Gambier rentra, la mine plutôt penaude.

— Pas très contents, les gars de la police ! Il paraît qu'on a alerté tout le monde...

Sylvie haussa les épaules.

— Et alors ? dit-elle, ils sont là pour ça, non ? Qu'y pouvons-nous s'ils manquent de flair ! Tu as téléphoné à l'abbé Brun ?

— Oui. Il a poussé un fameux soupir de soulagement, tu penses ! Il a demandé quand il pouvait venir...

Mais Sylvie, d'un geste, l'interrompit.

— Quoi ? fit Gambier.

« Aïe ! c'est vrai, se souvint-il, le gosse va s'imaginer que l'abbé veut le reprendre... »

— ...heu, je veux dire qu'il était bien content, l'abbé Brun, très content, même... ; très content, oui...

— Ne te fatigue pas, Phil, il dort !

Vaincu par la fatigue, par les émotions, le petit Pierre, en effet, s'était endormi dans le fauteuil. La tête inclinée sur l'épaule ; il avait un sourire heureux.

Jacques, avec précaution, le prit dans ses bras, le souleva, le déposa sur le lit. L'enfant ouvrit les yeux.

— Oncle Jacques, murmura-t-il, je t'aime bien... Je vous aime bien tous !

Il se rendormit. Le même sourire revint sur ses lèvres : le radieux sourire de l'espoir retrouvé.

Sans faire de bruit, ils quittèrent le living.

Il est minuit passé. Jacques et Madeleine sont partis. Ils reviendront, demain, chercher le petit Pierre.

Sylvie, dans son lit, pense à des choses... Elle soupire.

— Tu dors ? fait Gambier.

— Oui, à poings fermés !

— A quoi tu penses, alors ?

— Au gosse, à Madeleine, à Jacques...

— Tu t'y étais déjà attachée, hein, au petit ?

— Oui...

— Tu es triste ?

— Oui, non... je ne sais pas ! De toutes façons, tout est bien qui finit bien. Pour Madeleine, c'est un bonheur qu'elle n'espérait plus ; pour Pierre, c'est un vrai miracle...

Il y eut un petit silence. Gambier s'agite. C'est, chez lui, le signe qu'il réfléchit.

— Dis, bébé...

— Oui, Phil.

— Heu... je...

On entend, en haut, Alphonse qui marche dans sa chambre.

— ...je voudrais te demander, continue laborieusement Gambier, si ça te ferait plaisir d'avoir... enfin, que nous ayons...

Cher Phil ! Il est merveilleux. Sylvie, émue, se penche, lui donne un petit baiser.

— Oui, Phil, ça me fera immensément plaisir... Un petit garçon qui te ressemblera... Mais je suppose bien que la cigogne ne nous oubliera pas ! En attendant, tu sais, j'ai de quoi exercer mes qualités d'éducatrice...

— Comment ça ?

Elle rit :

— De nous deux, Phil chéri, le plus bébé n'est pas toujours celui qu'on pense, tu ne crois pas ? C'est que j'en ai, du mal, à t'éduquer !...

Il ne répond pas tout de suite. Il appuie sa tête sur l'épaule de Sylvie. Puis il dit, tout bas :

— Sylvie... Ma mère à moi, il y a bien longtemps qu'elle est morte. Je ne l'ai pas connue. J'ai vu des photos, mais les photos, cela ne veut rien dire... Alors, tu sais, quand ça ne va pas, quand je me sens triste ou abattu, je pense à ma mère. Elle m'apparaît. Elle me sourit. Et elle a ton visage...

Sylvie ferme les yeux. Elle vient de recevoir, elle le sait, la plus belle phrase d'amour qu'un homme puisse dire à une femme.

Elle ferme les yeux.

Elle écoute, en elle, chanter doucement la phrase.

Chanter doucement la vie, dans son cœur.

FIN

Mademoiselle curieuse

LA VIE EN ORPHELINAT

Avoir perdu son père ou sa mère — ou même comme notre petit Pierre l'un et l'autre — pour un enfant, est une chose bien triste. Faute d'un oncle, d'une tante, ou de quelque autre personne de bonne volonté qui veuille bien prendre la place des disparus, il ne reste d'autre ressource que l'orphelinat. Le simple énoncé de ce nom évoque un bâtiment sinistre et sombre où des enfants négligés, mal attifés et mal coiffés mènent une existence triste, sans joie et sans espoir. Et l'on se prend à penser à Dickens et à Oliver Twist.

- Toutes ces choses sont-elles vraies ? Les orphelinats méritent-ils cette triste réputation ? Eh bien, autrefois, les choses allaient trop souvent de cette manière. Confiés au bon, ou plutôt au mauvais vouloir d'une administration traditionaliste et à courte vue, les orphelins étaient avant tout considérés comme de fâcheux grève-budgets. Ils étaient des gêneurs, et on le leur faisait bien comprendre. Ils ne pouvaient déambuler en ville que surveillés, affublés d'un uniforme ridicule et voyant, dix fois rapiécé, aux couleurs passées par d'innombrables lessives. Traités en citoyens de seconde zone, ou bien ils se résignaient et restaient, leur vie durant, confinés dans des tâches secondaires, nourrissant tout juste leur homme ; ou bien ils se révoltaient, et entraient, trop souvent, sur la voie de la délinquance juvénile.

Heureusement, tout cela est passé depuis longtemps. Le vingtième siècle avant d'être le siècle de l'atome, a voulu être le siècle de l'enfance. Partout des hommes généreux se sont levés qui ont protesté contre les erreurs commises dans les orphelinats, et proposé des solutions infiniment plus séduisantes, que l'on s'attache aujourd'hui à mettre progressivement en pratique.

D'abord et avant tout, on n'essaie de ne placer dans des orphelinats que les petits qui ne trouvent pas un foyer où on les accepte de bon cœur. Ensuite, le mot « orphelinat » étant entouré d'une réputation trop fâcheuse, on a donné officiellement une autre appellation — par exemple Maison de la jeunesse — à ces établissements. Ceci est un symbole plus qu'autre chose parce que en parlant de ces maisons, tous ceux qui y vivent continuent à parler d'orphelinat ; mais cela montre bien la volonté d'effacer cette idée de tristesse, si peu compatible avec la joie de vivre qui doit animer tous les jeunes.

Mais c'est surtout le genre de vie qui a été profondément bouleversé : au lieu d'être séparés, frères et sœurs vivent ensemble, et à la petite cellule familiale qu'ils constituent, on adjoint l'un ou l'autre isolé — qui devient une sorte de cadet ou d'aîné. Le plus vieux de la bande — il a quatorze à dix-sept ans — dirige le petit groupe, du comportement duquel il est responsable vis-à-vis des moniteurs. Il s'agit somme toute d'une vie en famille nombreuse ; pour que l'illusion soit plus complète encore, ces enfants jouissent des mêmes libertés que celles que donnent à leur progéniture les parents raisonnables : ils peuvent sortir seuls en ville — et ils reçoivent même l'argent de poche nécessaire pour aller voir les dernières aventures de Davy Crockett.

Naturellement, un pareil bouleversement, qui renverse tant de traditions bien établies, ne va pas sans heurts ! D'innombrables personnages dont on dérangeait les chères habitudes se sont employés à entraver la mise en marche ; d'autre part la réalisation de ces projets pose des problèmes matériels qu'il faudra beaucoup de temps pour résoudre. Mais ceux qui veulent ces réformes sont animés par un idéal généreux et une foi de celles qui soulèvent les montagnes. Et le temps n'est plus loin où ceux qui doivent y passer leur jeunesse considéreront l'orphelinat comme un institut où il ne fait pas tellement mauvais de vivre.

DES PRESSES DE GERARD & Cᵒ,
65, rue de Limbourg, Verviers (Belgique).

marabout junior
LA COLLECTION JEUNE POUR TOUS LES AGES

SERIE *Mademoiselle*

27

Tim TIMMY

LA FAMILLE ANDRIEUX

Est-on vraiment capable, à quinze ans, de comprendre les
secrets du cœur humain ? Voici, sous une plume légère et
sarcastique à souhait, l'histoire de la famille Andrieux...

28

Shannon GARST

A CIEL OUVERT

L'histoire de celle qui, décidant de voler, devint non seulement
aviatrice, mais la plus grande de son pays, l'as, le pionnier, la
première femme à franchir l'Atlantique, celle qu'on appellera
« Mademoiselle Lindbergh » — Amélia Earhart, l'inoubliable...

29

René   PHILIPPE

SYLVIE A HONG-KONG

Il y a des gens bizarres dans ces îles trop chaudes hantées par
les déserteurs, les émigrés, les voyageurs sans bagages. Il y a
des silhouettes impalpables qui se glissent derrière les tentures et les portes closes, faces jaunes, nuques jaunes, sourires minces, trop minces... Qu'est-ce donc qui t'attend à
Hong-Kong, Sylvie ? Une vie de touriste paresseuse, ou l'ef-
frayante aventure chinoise ?...

Gisèle COLLIGNON

MOI, CLOTILDE

Un certain jeune roi ambitieux, une certaine jeune fille cultivée apparaissent tous deux comme les héros d'un roman d'amour, avant que la légende ne s'empare d'eux pour les transformer en géants de pierre et les envoyer, ainsi statufiés, au paradis.

Helen D. BOYLSTON

SUSAN BARTON ET SES ELEVES

Heureusement, s'était dit Susan, Bill pourra m'aider, maintenant que nous sommes mariés... Ce sera bien nécessaire. O illusions ! Lorsque Bill, surchargé de besogne, rentrait chez lui...

Claude MEILLAN

JOLIE SISSI

Malgré leur entourage sévère et les lois inexorables du trône, Sissi et le jeune empereur Franz réussirent à être heureux, mais pour cela Sissi dut se donner beaucoup de mal. Car il est mille fois plus difficile d'être heureuse lorsqu'on est impératrice, que lorsqu'on a la chance d'être une simple bourgeoise.

René PHILIPPE

SYLVIE ET LES ESPAGNOLS

Où il est prouvé, une fois de plus, que lorsque Sylvie a une idée en tête !... Et Gambier, lui, qui rêvait de vacances douces et reposantes... Mais tout finira bien, pour le plus grand bonheur de don Antonio.

Dominique FOREL

LA BARRIERE DES ECOLIERS

— Alors, c'est bien décidé ? Dans trois ans, rendez-vous à la Barrière des Ecoliers ?

Ainsi parlait Eve à ses deux amies, Clo et Françoise. Elles étaient au seuil de la vie et la vie allait les séparer. Mais cela ne les épouvantait pas. Elles avaient pleine confiance en leur étoile... Et voilà que ces trois années ont passé. Eve seule est restée dans la ville. Nommée professeur au collège Godefroid, elle y mène une vie solitaire et rêve souvent au fameux rendez-vous.

Helen D. BOYLSTON

SUSAN BARTON, INFIRMIERE DE CAMPAGNE

On revient toujours à ses premières amours... Susan et son amie Kitty sont allées revoir l'Ecole de Nursing où elles ont fait leurs études d'infirmières, et leur ancienne monitrice a dit à Susan :

— Vous avez fait du bon travail depuis que vous nous avez quittées ; grâce à vous, on dispose à présent d'excellentes infirmières - hygiénistes sociales dans l'Etat du New-Hampshire ! Vous travaillez toujours, je suppose ?

— J'ai trois enfants, a répondu Susan, et vous serez d'accord avec moi, Miss Matthews, pour reconnaître que la place d'une mère est au foyer...

Dominique **FOREL**

GALERIES DE LA MADELEINE

La petite Zoé trotte, trotte... Pour elle, pas d'ascenseur ni d'escalier roulant. Pour elle, c'est le grand escalier de fer dans les coulisses du Grand Magasin. « Zoé, voulez-vous aller à la réserve ! » — « Zoé, conduisez Madame au bureau des réclamations ! » — « Zoé, où avez-vous mis les chaussettes nylon mousse rouges et bleues ? » Et puis, ce sont les sonneries, les leçons de vente, le trac.

Trois mois ont passé. Bons, mauvais ? Elle ne sait plus. Elle va être congédiée, c'est certain ! Le chef de rayon l'a prise en grippe. Il y a eu ces vols mystérieux, ce détective qui l'a regardée d'un drôle d'air. Et encore s'il n'y avait que cela !... Zoé a commis une très vilaine action. Elle en a honte maintenant, mais c'est trop tard... Là-haut, on ne lui pardonnera pas. Devra-t-elle dire « Adieu, Madeleine » ? Adieu lumières, musiques, grand tumulte des nouveautés et des soldes ?

Lentement, Zoé monte l'escalier de fer, se dirige vers le bureau directorial, ouvre la porte...

*

37

Gisèle **COLLIGNON**

FRAPPEZ, ON VOUS OUVRIRA

suivez...

Mademoiselle